Wallis

Maarten Mandos
Roswitha van Maarle

ANWB

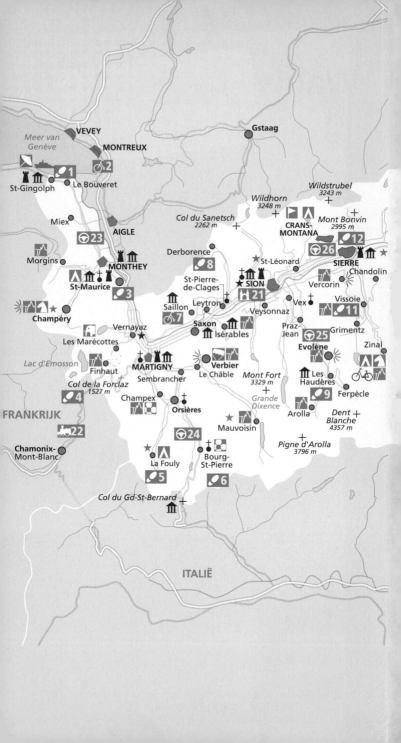

16 + + + **Gornergrat** 84
Lengte 7,5 km, duur 3 uur 30 minuten

17 + + + **Gletsjer en alpenmarmotten** 86
Lengte 9 km, duur 3 uur

18 + + + **Saffraan en Schwarzhalsziegen** 88
Lengte 7 km km, duur 2 uur 30 minuten

19 + + + **Grote Aletschgletsjer** 90
Lengte 16,5 km, duur 4 uur 30 minuten

20 + + + **Mineralen van het Binntal** 92
Lengte 16 km, duur 5 uur 30 minuten

21 **Stadswandeling Sion** 94
Lengte 3,5 km, duur 2 à 3 uur

22 **Mont Blanc Express** 96
Reistijd enkele reis 1 uur 40 minuten

23 **Portes du Soleil** 98
Lengte 108 km, rijduur 3 uur 30 minuten

24 **Col du Grand-St-Bernard** 100
Lengte 105 km, rijduur 3 uur 30 minuten

25 **Val d'Hérens** 102
Lengte 115 km, rijduur 3 uur 45 minuten

26 **Val d'Anniviers - Montana** 104
Lengte 95 km, rijduur 3 uur 15 minuten

27 **Leukerbad - Lötschental** 106
Lengte 94 km, rijduur 3 uur 15 minuten

28 **Matterhorn - Saastal** 108
Lengte 95 km, rijduur 3 uur

29 **Aletschgletsjer - Simplonpas** 110
Lengte 95 km, rijduur 3 uur

30 **Drie-passenroute** 112
Lengte 93 km, rijduur 3 uur 30 minuten

ABC 115

Register 136

Tips

Bettmeralp
Grote Aletschgletsjer en oude arven (blz. 19, 20, 90)

Le Bouveret
Swiss Vapeur Parc: modelstoomtreinen (blz. 21)

Brig
Stockalperpalast met museum (blz. 12, 73)

Col de la Forclaz
Trientgletsjer en bissetocht (blz. 14, 60, 117)

Col du Grand-St-Bernard
Hospitium en sint-bernardshonden (blz. 15, 64, 101)

Furkapas
Pasweg langs de Rhônegletsjer (blz. 19, 113)

Les Marécottes
Alpendierenpark en zwembad (blz. 21, 117)

Lötschental
Woeste natuur en primitieve maskers (blz. 24, 82)

Martigny
Modern museum Gianadda met beeldenpark (blz. 25, 66, 100)

Saas Fee
IJsgrot en Alpin Express (blz. 34, 86)

St-Maurice
Abdijkerk en feeëngrot (blz. 41, 59)

Sion
Historische burchtheuvels met basiliek (blz. 39, 66, 94)

Val d'Hérens
Aardpiramiden van Euseigne (blz. 102)

Zermatt
Matterhorn en Gornergratbahn (blz. 51, 84, 108)

WALLIS

Toen de Romeinen Wallis binnenkwamen, noemden ze het een-
voudigweg 'Vallis', dat zoveel betekent als 'dal'. Wie Wallis ziet, zal
toegeven dat ze het niet bondiger hadden kunnen formuleren, het is
een schoolvoorbeeld van een dal. De Rhône, die in de hooggelegen
oosthoek ontspringt, stroomt van daar steeds dalend tussen vaak
meer dan 4000 meter hoge bergketens door naar het westen, maakt
bij Martigny een knik naar het noorden en komt uit in het Meer van
Genève. De trogvorm van het brede hoofddal is het werk van de schu-
rende Rhônegletsjer, die in de laatste ijstijd meer dan duizend meter
dik, kilometers breed en honderden kilometers lang was. Bij deze on-
metelijke ijsstroom voegde zich uit elk zijdal een kleinere gletsjer met
geringere diepgang. Daarom is er nu steevast een steile trap naar de
zijdalen en zweeft de ingang daarvan vaak honderden meters boven
het Rhônedal. Wat er van die ontzagwekkende Rhônegletsjer over is,
ziet u bij de Furkapas: de lengte is nog maar acht kilometer.

Het Rhônedal wordt geflankeerd door machtige vierduizenders: aan
de noordflank Jungfrau en Finsteraarhorn en in het zuiden Monte
Rosa en Dufourspitze, Matterhorn en Dom, om er maar een paar te
noemen. Dit Rhônedal is altijd een belangrijke doorgang geweest
voor legers en handelskaravanen. Van de 10e tot de 19e eeuw speelde
Wallis een zelfstandige rol in de geschiedenis van Europa. Het had
een eigen machtscentrum: de bisschopszetel in Sion. Voor het gebruik
van de bergpassen moest tol worden betaald. In de 17e eeuw bezat
de machtige familie Stockalper uit Brig de Simplonpas en het monopolie op de handel in zout en zijde. De historische steden liggen langs
de hoofdweg op de brede dalbodem: Brig, Sierre, Sion en Martigny,
stuk voor stuk een bezoek waard. Vooral op de zonhellingen langs de
Rhône is veel fruitteelt en wijnbouw, op de dalbodem hier en daar wat
industrie en boven in de zijdalen liggen enkele van de grootste stuwmeren van Europa (Dixence, Mauvoisin, Émosson) en drukbezochte
wintersportgebieden. Belangrijke toeristenplaatsen als Zermatt en
Saas Fee zijn autovrij, net als het overgrote deel van het Binntal. Hier
en daar liggen kapitale natuurreservaten, zoals het Aletschwald aan
de rand van de Grote Aletschgletsjer, het Val de Bagnes rond het
stuwmeer van Mauvoisin en het Pfynwald langs de Rhône tussen
Leuk en Sierre. Afgezien van de prachtig bloeiende alpenweiden zijn
er nog tal van gebieden die zich niet of nauwelijks laten bedwingen:
overal strekt zich het ongenaakbare landschap uit, van steile, beboste
of kale rotsen, woeste kloven en bergbeken tot blinkende gletsjers
en sneeuwtoppen aan de horizon. De Walliser Alpen maken deel uit
van een van de uitgestrektste en waardevolste natuurgebieden van
Europa.

Links en rechts voeren kleine zijdalen diep het gebergte in. Ze lopen bijna allemaal dood. Door de geïsoleerde ligging heeft ieder dal zijn eigen identiteit ontwikkeld en zijn eigen karakter vormgegeven. Zo werd het Lötschental zelfs pas na 1950 ontsloten en de weinige bewoners houden er nog eeuwenoude tradities op na. Vooral in oostelijk Wallis zijn de houten boerenhuizen vaak indrukwekkend groot, prachtig donker getaand en van respectabele leeftijd. In het westen van Wallis heeft een boerderij vaak een stenen onderbouw en is de bovenste helft van hout. Vrijwel alle zijdalen hebben hun eigenaardigheden, veelal verband houdend met de moeizame akkerbouw en veeteelt hoog in het gebergte. Door dalen als het Val d'Anniviers trokken de bewoners door de seizoenen heen als nomaden rond met hun kudden van runderen en zwart-witte geiten.

De Wallisers hebben zelfs een eigen koeienras, afkomstig uit het Val d'Hérens, de zwarte vechtkoeien die men tegen elkaar in het strijdperk laat treden om de beste aanvoerster te kunnen kiezen. Het kanton Wallis is tweetalig, in het westelijke deel is Frans de voertaal en in het oosten spreekt men Duits. Het kanton is ingedeeld volgens drie bestuurlijke eenheden: West-Wallis, Midden-Wallis (beide Franstalig), en Oost-Wallis (Duitstalig). De taalgrens ligt ongeveer bij Leuk. De Franstaligen noemen deze drie eenheden respectievelijk Bas-Valais, Valais Central en Haut-Valais, de Duitstaligen spreken van Unterwallis, Mittelwallis en Oberwallis. De inwoners van Oberwallis verdelen hun gebied soms nog in Goms en Obergoms, respectievelijk het lagergelegen westelijke deel en het wat smallere hoge dal van de Rhône of Rotten, zoals deze rivier in het Duits wordt genoemd.

Wallis in zicht ove het Meer van Genève (MM)

Plaatsen

In Wallis liggen diverse steden en dorpen die een bezoek waard zijn. In dit hoofdstuk is daarvan een selectie gemaakt om u te wijzen op de belangrijkste bezienswaardigheden. De plaatsen staan in alfabetische volgorde.

Arolla (1998 m) ligt aan het einde van het Val d'Hérens, ingesloten tussen indrukwekkende bergen en bossen met lariksen en arven. Deze dennensoort is karakteristiek voor dit dal, de Engelsen spreken zelfs van 'Arolla pine'. Het dorp heeft slechts 50 inwoners en is een centrum voor het alpinisme. Een bergbeklimmersschool organiseert uitgebreide cursussen. De Mont Collon (3637 m) steekt boven de Arollagletsjer uit met daarnaast de met sneeuw bedekte Pigne d'Arolla (3801 m) en aan de andere kant de slanke Aiguille de la Tsa (3673 m) en de Dent Perroc (3655 m). De weg erheen klimt slingerend omhoog langs bergwanden met veel verschillende soorten gesteenten en mooie, orchideeënrijke bosweitjes. Wandeling 9 (zie pagina 70) loopt van Arolla over de berghellingen naar Les Haudères.

Ayent (978 m) is een conglomeratie van nog kleinere plaatsjes die stuk voor stuk wel iets aardigs te zien geven van het authentieke Wallis. Er is een weg naar het Lac de Tseuzier; vroeger een veel gebruikt pad dat voorbij dit meer en over de Rawilpas (2429 m) naar Lenk in het Berner Oberland voerde. Het stuwmeer op 1780 m verzamelt het water van diverse gletsjers en geeft nog maar een kleine hoeveelheid water door aan de oorspronkelijke bergbeek de Liène.

Dichterbij ligt het moderne *Anzère*, met zijn gratis *Musée des bisses*, gewijd aan de *suonen*, de vroegere irrigatiekanaaltjes. In de omgeving staan nog de *Mayensässe*, eenvoudige alpenhutten van steen of door de zon gebruind hout. De plaats, gelegen op 1549 m, is prima geschikt voor wandelen en mountainbiken en biedt schitterende uitzichten. Een kabelbaan gaat naar de 860 m hoger gelegen Pas-de-Maimbré, waar onder andere de bron van de Sionne ligt. Op de pas begint het *Sentier botanique*, een pad waarlangs u spelenderwijs alpenplanten leert kennen. Op bepaalde dagen organiseert de VVV van Anzère een wandeling onder leiding van een gids (een

In het Binntal met muilezels de bergen in (MM)

dag van tevoren bespreken). Bij de VVV is ook een gidsje met informatie over het pad te koop.

Binntal Het Binntal aan de zuidkant van de Rhône is een bezoek meer dan waard. Het eerste dorp, nog dicht bij de Rhône, is **Ernen** (1196 m) met zijn prachtige grote donkere houten huizen en schuren en mooie lindebomen. Het staat bekend als het 'best bewaarde dorpsgezicht' van Wallis. Op het *Tellenhaus* uit 1578 aan het grote vierkante plein is de oudste afbeelding van het verhaal van Wilhelm Tell te zien.

Het echte Binntal begint bij het dorp Binn. De weg tussen Ernen en Binn kan voor onervaren automobilisten een beproeving zijn: smal en met weinig bermbeveiliging. Wel zijn in de meeste bochten spiegels geplaatst en is er in de lange tunnel even voor Binn verlichting aangebracht. Binn en Imfeld worden ook circa acht maal per dag aangedaan door de bus.

Al snel na de tunnel ligt **Binn** (1389 m), met zijn huizen langs het water van de Binna en een mooie boogbrug. Voorbij Binn ligt een camping. Van daar is het een half-uurtje lopen naar de verlaten steengroeve met afvalberg, waar u naar hartenlust stenen kunt zoeken en meenemen (zie ook wandeling 20, pagina 92). Het is een heerlijk dal om autovrij te wandelen, er zijn overal voetpaden. **Imfeld** (ook Fäld genoemd) is het laatste dorp in het dal, daarna hoeft men niet meer te rekenen op een uitspanning of iets dergelijks. Ook auto's kunnen niet verder.

In het Binntal wordt van alles georganiseerd: muilezel-
tochten naar onder andere de Albrunpas, mineralenzoektochten, mountainbiketochten. Verder is er in Binn een
Regionalmuseum.

Het Binntal is de belangrijkste vindplaats van mineralen
in Zwitserland en bij mineralogen over de gehele wereld
bekend. De meest voorkomende mineralen zijn gave, uit-
gekristalliseerde dolomietkristallen, pyriet en het opvallend rode realgaar. Zowel Toni Imhof (in Binn) als André
Gorsatt (in Imfeld) verhuren hamers en beitels per dag.
In hun 'museumwinkels' kunt u zien wat er zoal te vinden
is. Klanten van Imhof mogen bovendien zijn indrukwekkende stenenkraker gebruiken.

Wie van planten houdt, kan hier ook zijn hart ophalen.
Er is zelfs in augustus een opvallend weelderige vegetatie
met eenbes, zuurbes, groene els, berk en lijsterbes, hoger
in de bergen wolverlei, ogentroost en alpenvrouwenman-
tel, achtster, wildemanskruid, alpenzuring op verruigde
stukjes en helemaal bovenin kussenvormige rotsplanten.
Al die bloeiende planten lokken talloze vlinders, zoals
blauwtjes, aardbeivlinders, vuurvlindertjes en hooibeest-
jes. In de Binna zwemmen volop forellen.

Binn
Toni Imhof
Mineralien
Winkel, cursussen
en excursies.
www.mineralien-
imhof.ch

Binn-Imfeld
André Gorsatt
Mineralenwinkel
en -museum,
openingstijden op
aanvraag.
www.andre-
gorsatt.ch

Bourg-St-Pierre (1632 m) In de middeleeuwen was hier
een controlepost voor het voet- en lastdierverkeer over
de Grote St.-Bernardpas. Het kerkje heeft een mooie
romaanse toren. In de kerkhofmuur is een Romeinse mijl-
steen met inscriptie ingemetseld, daterend van 310, toen
keizer Constantijn de Grote de pasweg liet vernieuwen.
De inscriptie geeft aan dat deze steen op een afstand
van 24 Romeinse mijlen van Martigny (*Forum Claudii
Vallensis*) moet hebben gestaan bij de *Combe des Morts*.
Aan het einde van het dorp is de botanische tuin *La Linnaea* met alpiene planten. De weg klimt daar naar het
stuwmeer Lac des Toules, gelegen in de dalkom waar tot
1963 nog het hospitium La cantine de Proz stond. Daar
voorbij begint de toltunnel naar Italië, daterend van 1964.

Brig (680 m) is de bedrijvige hoofdstad van het Duitstalige Wallis en net als Martigny een kruispunt van
internationale handelswegen. Het is de belangrijkste
plaats op de doorgaande route tussen de Simplonpas en
het Lötschbergspoor naar Berner Oberland. Ook is hier
het treinstation van de route Furka – Oberalp – Brig –

Brig
Brig Belalp
Tourismus
Bahnhofplatz 1
Tel. 027 921 60 30
www.brig-belalp.ch

Visp – Zermatt en een tussenstation van de exclusieve Glacier Express. Ook is er een groot busstation naast het treinstation.

Wat aangeduid wordt als Brig bestaat eigenlijk uit twee stadsdelen: Brig-Naters en Brig-Glis, en wie van boven op Brig kijkt (zie wandeling 18, pag. 88) ziet ook waarom Brig oorspronkelijk uit deze twee 'steden' bestond: de nieuwe stad Brig ligt eigenlijk in de bedding van de rivier de Rhône. Lang ging dat goed, maar in het najaar van 1993 trad de Rhône na heftige regenbuien buiten haar oevers en werd het laaggelegen deel van Brig met de spoorlijn en het stadscentrum gevuld met ziedend modderwater.

Na de herstelwerkzaamheden is het centrum van Brig autovrij gemaakt. Brig is niet groot: van het station in het centrum, met in de stationshal op de eerste verdieping de VVV, is het maar tien minuten lopen naar het *Stockalperpalast*, en van het station naar het stadsdeel Naters eveneens. Beide stadsdelen zijn verrassend aantrekkelijk. Onverbrekelijk verbonden met Brig is de naam van Stockalper, die het *Stockalperpalast* liet bouwen (zie kader). In het 17e eeuwse slot zetelen tegenwoordig de gemeenteraad en de rechtbank. Van mei tot oktober zijn er dagelijks rondleidingen door het slot en er is een multimediale presentatie over het leven van Stockalper. Ten westen van Brig ligt **Brigerbad** (655 m) met zijn warmwaterbronnen die al bij de Romeinen bekend waren. Het water komt van een diepte van circa 4000 m en

Brig
Stockalperpalast
mei-okt. di.-zo.
rondleidingen 9.30,
10.30, 13.30, 14.30,
15.30 en 16.30 uur
volw. CHF 7,
kinderen CHF 3.

Brigerbad
Freiluft Thermalbad
mei-sept. 13.30-
19 uur
volw. CHF 10,
kinderen CHF 5.

De Stockalpers en Wallis

In de 17e eeuw waren alle wegen en tolbruggen tussen Italië en Frankrijk van de Simplonroute in bezit van de adellijke handelsman Kaspar J. Stockalper (1609-1691). Ook bezat hij het monopolie op zout en zijde. Hij handelde daarnaast in (edele) metalen, wapens en wijn. Met het geld dat hij vergaarde, liet hij kerken, herbergen, straten en bruggen bouwen.

Voor zichzelf liet hij een ongekend groot paleis bouwen, dat tevens diende als opslagruimte en overslagplaats. De stijl van het Stockalperpaleis is duidelijk geënt op de Italiaanse bouw-wijze, met zijn gigantische binnenhof omgeven door diverse verdiepingen met hoge booggalerijen. Drie vergulde uivormige torenspitsen zijn van veraf te herkennen in het landschap; een ervan is een uitkijktoren die zo hoog is dat alle handelskaravanen nauwlettend in het oog gehouden konden worden. Het binnenhof met fraaie oude postkoets is gratis te bezoeken. Tegenover de poort vindt u het Museum Stockalperschloss (op maandag gesloten), waarin de geschiedenis van de Simplonpas wordt getoond.

er wordt een heilzame werking aan toegeschreven. Er is ook een recreatief badcomplex met aardige attracties zoals een 200 m lange waterglijbaan en een wildwaterbad.

Chamoson (619 m) staat bekend om zijn goede witte wijn, de Johannisberg. Bovendien kent het een onderzoekscentrum en grottenmuseum, het *Musée Suisse de Spéléologie*. Vanuit Chamoson gaat een weg naar boven over de uitlopers van de Grand Muveran (3051 m) naar **Ovronnaz** (1332 m). Onderweg valt op dat er tot op vrij grote hoogte nog druiven geteeld worden: de Grand Muveran beschermt de hellingen tegen de koude noordenwind.
Het ruim opgezette Ovronnaz wordt graag gezien als kuuroord vanwege de gezonde berglucht. Er is een mooi kuurbad met fantastisch uitzicht op de omliggende bergen. De stoeltjeslift Ovronnaz – Jorasse (1940 m) brengt u naar een bergrestaurant op de uitlopers van de Six Armaille (2427 m). Het is een uitgestrekt wandelgebied met bossen en alpenweiden en er zijn volop routes voor mountainbikers.

Chamoson
Musée Suisse de
Spéléologie
Rue Chez Moren
di.-zo. 9-12 en 14-
17.30 uur
volw. CHF 8,
kinderen CHF 4
www.
museespeleo.ch

Champéry (1060 m) is eindstation voor trein en auto en de belangrijkste plaats in het Val d'Illiez. Vooral mountainbikers komen er graag. Er zijn routes voor gezinnen, maar ook de profi's kunnen hier terecht en suizen er (deels door de lucht) met bloedstollende vaart de hellingen af. Er zijn gemarkeerde routes met een totale lengte van circa 400 km. Fietsen zijn te huur bij het dalstation van de kabelbaan. Daar is ook een oefenparcours aangelegd waar steile hellinkjes kunnen worden genomen zonder dat er direct een afgrond dreigt.

Champéry
Champéry Tourisme
Tel. 024 479 20 20
www.champery.ch

De cabinelift van Champéry naar **Planachaux** gaat naar een weideplateau op 1800 m In een fascinerende omgeving, met zicht tot aan de Mont Blanc. Vanuit het Val d'Illiez worden botanische tochten met gids georganiseerd door de plaatselijke VVV's. Op de Col de Bretolet komen veel roofvogels over tijdens hun voorjaars- en najaarstrek; er is daarom een vogeltrekstation ingericht. Aan de andere zijde van het dal, aan de voet van de Dents du Midi, rond de *Lacs d'Antème* in een oude gletsjerkom op ruim 2000 m hoogte, kunt u zich tijdens de wandeling per walkman laten informeren over landschap, flora en fauna. Edelweiss, Zwitsers mansschild, arnica, stengelloze gentiaan en alpenvlasleeuwenbek zijn echte alpenplanten die iedereen hier kan zien bloeien. Hier kruist het pad de *Tour des Dents-du-Midi*, een van de mooiste wandeltochten door West-Wallis, op 1700-2400 m hoogte rond de voet van deze bergketen. Het is een vierdaagse huttentocht voor bergwandelaars zonder hoogtevrees. Zie de website www.champery.ch voor details. De tocht is in totaal 40 km lang en vergt circa 18 uur effectief wandelen. Veel gemakkelijker en toch ook indrukwekkend is wandeling 3 in deze gids (pag. 58).

✳️ *Col de la Forclaz* Vanuit Martigny loopt een goed berijdbare weg met mooie uitzichten over de Col de la Forclaz (1527 m) naar het Franse Chamonix. Op de Col de la Forclaz is ruime parkeergelegenheid en hiervandaan kunnen prachtige bergtochten gemaakt worden. Een woud van wegwijzers geeft wandelbestemmingen aan als Vernayaz, Col de Balme, Champex en Mont de l'Arpille. Wandeling 4 uit deze gids (pag. 60) voert naar de voet van de Glacier du Trient.

Na de Col daalt de weg weer naar **Trient** (1281 m) met zijn roze kerk en mysterieuze kloof van Tête-noire, en gaat dan naar de grensplaats Le Châtelard Frontière (1127 m), en voorts naar het Franse Argentière en Chamonix onder de Mont Blanc. Wie het hier hogerop zoekt, rijdt vanuit Le Châtelard over een smalle bergweg naar het kleine Finhaut (1224 m), waar de prachtige gletsjer **Glacier du Trient** het uitzicht beheerst. Deze weg met haarspeldbochten eindigt op de Col de la Gueulaz bij het stuwmeer Lac d'Émosson (1930 m). Tijdens werkzaamheden werden

In het spoor van de dino's

Voetafdrukken van dinosauriërs – van 230 miljoen jaar oud – komen aan het einde van de zomer op 2400 m hoogte onder de sneeuw vandaan. Kies een stralende dag, omdat ook het panorama overweldigend is, 's ochtends erheen en 's middags terug, want de laatste treintjes gaan rond 16 en 17 uur terug. Informeer vooraf bij de informatiebureaus van Martigny of Le Châtelard.

Boven op de stuwdam begint de tocht met gids: langs het Lac d'Émosson tot voorbij het Lac du Vieux Émosson (2205 m); 2 à 3 uur lopen tot bij de dinosauriërsporen. Van Le Châtelard gaat een kabelspoor 'Funiculaire de Barberine', met panoramatreintje en 'minifunic' naar het startpunt op de Col de la Gueulaz, ook bereikbaar per auto vanuit Le Châtelard via Finhaut over een bochtige bergweg.

in 1979 boven het hogerop gelegen Lac du Vieux Émosson honderden fossiele sporen gevonden, waaronder voetaf-drukken van dinosauriërs (zie kader).

De sportieve bergwandelaar die de dinosauriërsporen achter het Lac du Vieux Émosson te voet wil bereiken, vindt zijn route met pleisterplaatsen in een tweetalig gidsje dat een vijfdaagse tocht in etappes beschrijft (*Tour pédestre de la Vallée du Trient/ Der Trienttal Rundgang*, uitgegeven door de VVV van Les Marécottes).

✳ *Col du Grand-St-Bernard* In een ruig en imposant landschap ligt op 2469 m de pas met het hospitium en de grenspost. De Kelten, en later ook de Romeinen, maakten al druk gebruik van deze Col. Hier en daar zijn nog stukken van de Romeinse weg aanwezig. Op de vlakke pashoogte werd een tempel voor Jupiter ge-bouwd, die de Romeinen moest steunen bij de verove-ring van Europa. Zij noemden de pas Mons Jovis, berg van Jupiter. De Grote Sint-Bernardpas dankt zijn naam aan Bernard de Menthon, de kort na zijn dood heilig verklaarde aartsdeken van Aosta. Hij wist rond 1050 de ver naar het westen opgerukte Saracenen, die al een eeuw lang het pasverkeer vrijwel onmogelijk maakten, te verdrijven. Hij vestigde boven op de pas een klooster en bood de talrijke en vaak aanzienlijke reizigers een veilig onderkomen, het hospitium. De kloosterlingen, allen getraind als berggids, stonden altijd paraat voor reddingsoperaties in deze barre omgeving. In ruil voor deze goede diensten verkreeg de kloosterorde enorm veel bezittingen in het buitenland. Het klooster is wereldberoemd geworden met het fokken van de sint-bernardshond, de levensredder met het vaatje cognac om de hals. De sint-bernardshonden zijn er slechts 's zo-mers en alleen te bezichtigen in de kennel, die opgeno-men is in het museum. Het *Musée de l'Hospice* herbergt een wat ouderwets aandoende collectie interessante vondsten, waaronder Romeinse munten, sieraden en godenbeeldjes (onder andere van Jupiter), recentere voorwerpen uit de 12e tot de 15e eeuw (zoals missalen, brevieren, folianten), een grote verzameling tinnen voorwerpen en opgezette dieren. Op de pas staan allerlei kramen en souvenirwinkels waar pluchen sint-bernardshonden in alle maten te koop zijn. Daar begint ook wandeling 6 (pag. 64).

Col du Grand-St-Bernard
Musée de l'Hospice du Grand-St-Bernard
juni en sept. 9-12 en 13-18 uur; juli - aug. 9-19 uur
volw. CHF 7, kinderen CHF 5
www.gsbernard.ch

Col du Sanetsch Recht ten noorden van Sion loopt het dal van de bergbeek La Morge naar de Col du Sanetsch (2251 m) met daarachter nog het meer van Sanetsch waar de weg definitief eindigt. Eerst gaat de weg langs de Mont d'Orge, een heuvel met een meertje en een beschermd natuurgebiedje midden tussen de wijngaarden, daarna komen de dorpen **Savièse** en **Chandolin** (niet te verwarren met het Chandolin in het Val d'Anniviers). De weg naar de col voert verder langs de **Morge**, een karakteristieke bergbeek. Dorpen zijn hier niet meer te vinden, maar vóór de col ligt in dit smalle dal, waarvan de weg tot 15% stijgt, nog een hotel. Via deze pasroute liep men vroeger naar Gsteig in het Berner Oberland.

Crans-Montana Deze plaatsen (per tandradbaan ook bereikbaar vanuit Sierre) liggen uitgelezen op de noordelijke, beboste hellingen van het Rhônedal met overal op de hellingen kleine meertjes. Ze baden in een overmaat aan zon en bieden uitzichten tot de **Mont Blanc** en de **Matterhorn**, terwijl ze in de rug gedekt worden door de Wildhorn (3248 m) en de Wildstrubel (3243 m), die koude noordenwinden tegenhouden. Door deze gunstige combinatie van ligging en klimaat hebben Crans en Montana, meestal in één adem Crans-Montana (1520 m) genoemd, zich uitgebreid tot een vermaard en wat mondain vakantiecentrum, met de daarbij behorende service en drukte.
Er is accommodatie voor wel 40.000 gasten, uiteenlopend van sportieve kampeerders tot de op luxe ingestelde toerist die graag in een voortreffelijk hotel zijn vakantie doorbrengt en bijvoorbeeld het European Masters golftoernooi in september bijwoont. In Montana bevindt zich dichtbij een fraai aangelegd park met grote vijver het enige speelcasino van Wallis.
Van Crans en Montana vertrekken kabelbaantjes naar diverse punten in de omgeving: naar Cry d'Er (2258 m) en nog verder, tot net onder de Bella Lui (2543 m); naar Les Violettes (2204 m) en verder naar Pointe de la Plaine Morte (2927 m, zomerski) tot boven zijn gletsjer en vanuit het noordoostelijker gelegen **Aminona** naar de **Petit Bonvin** (2383 m), onder zijn grote broer de Mont Bonvin (2995 m). Deze laatste kabelbaan vervoert ook mountainbikes, zodat men ontspannen naar beneden kan fietsen. Op de grens tussen Berner Oberland en Wallis rijzen drie-

Het oerbos van Derborence (MM)

duizenders als Wildstrubel, Schneehorn, Gletscherhorn en Wildhorn tussen uitgestrekte gletsjervelden boven alles uit.

Derborence Het einde van het dal van de Luzerne, ten noordwesten van Sion, wordt gevormd door een brede kom waarboven het 'duivelsgebergte' *Les Diablerets* (3109 m) met zijn gletsjer Tsanfleuron uittorent. Hier ligt het diffuse gehucht Derborence met zijn natuurlijke, ondiepe meer (ontstaan bij een van de bergstortingen in de 18e eeuw) en de *Auberge au Lac*.
Een uitweg uit het dal biedt het voetpad over de *Pas de Cheville*, die schitterend uitzicht biedt over de Walliser Alpen (wandeling 8, pag. 68). Wie liever niet zo klimt, kan luieren en pootjebaden bij het heldere meer of een tochtje maken langs de rand van het beschermde oerbos van Derborence met zijn machtige bomen en mooie weitjes vol vlinders en orchideeën. Om dwars door het oerbos te lopen neemt u het pad naar *Vérouet* en *La Chaux* (4 uur heen en terug, eerste stuk als wandeling 8, dan de wegwijzers volgen. Van La Chaux dezelfde weg terug).

Evolène (1371 m) is de belangrijkste plaats van het Val d'Hérens. Het dorp straalt de zelfbewustheid van de Wallisers uit: grote houten boerenhuizen met overal bloembakken en de houtvoorraden opgestapeld tegen de gevels. Het is een wintersportcentrum dat riant uitkijkt op de Dent Blanche met zijn gletsjers en het biedt een

uitgebreid net van wandelwegen; de VVV verkoopt een
kaart met wandelingen en met mountainbikeroutes.
Een wandeling door het dorp langs terrassen en souve-
nirwinkeltjes is de moeite waard. De parochiekerk is voor
het laatst gerestaureerd in 2002.

Aan de overkant van de Borgne ligt *Lannaz*, het enige
dorp in Wallis dat rondom een dorpsweide werd ge-
bouwd. De kabel van Lannaz gaat naar het bergstation
Chemeuille (2145 m), dat op de helling van de
Pic d'Artsinol ligt. Bij helder weer reikt het uitzicht hier
zowel tot de Dent Blanche in het zuidoosten als tot de
Diablerets (3210 m) in het noordwesten aan de andere
kant van het Rhônedal. Het Val d'Hérens eindigt bij
Les Haudères (1447 m; *Centre de géologie*: zie wandeling 9,
pag. 70) met een tweesprong: naar het zuidwesten het
Val d'Arolla, naar het zuidoosten het sfeervolle dorp
Ferpècle (1770 m).

Fiesch (1050 m) is een kleine plaats in de regio Goms
met mooie donkerbruine huizen en veel accommodatie
aan de ingang van een zijdal dat al vrij snel geblokkeerd
wordt door de Fieschergletsjer.
Uit Fiesch vertrekt een gondelbaan naar de Eggishorn
(2926 m), de hoogste gondelbaan in Goms. Een tussen-
stop wordt gemaakt in Fiescheralp (2212 m). Vanaf het
eindstation Eggishorn ontvouwt de bergwereld zich in
volle pracht en er is een uniek zicht op de gletsjers.
Het eindstation is tevens geschikt als startpunt voor del-
tavliegers en parapenteliefhebbers.

Op de hoorn

De koeien die de melk voor de bagnes-
kaas leveren, zijn van een origineel
Zwitsers ras dat uit het Val d'Hérens
(Eringertal) afkomstig is. Deze zwarte
Eringer koeien staan daarnaast ook
bekend om hun strijdlust. Ze gaan,
vooral bij de trek naar de zomerweiden, graag op de hoorn en vechten om
het natuurlijk leiderschap over de
kudde. Omdat er geen stier bij de
kudde is, verwerft de sterkste koe het
gezag over de kudde. De Walliser vee-
houders koppelen aan dit vechten een
competitie, en het is een grote eer om
de eindstrijd te halen. Deze koeiengevechten, die op zondagen plaatsvinden, zijn een belangrijk evenement in
Wallis.
In het voorjaar zijn er zes of zeven re-
gionale voorrondes, in het najaar,
wanneer de koeien drachtig zijn, nog
eens drie. In Aproz, in het Rhônedal
tussen St-Pierre-de-Clages en Sion,
wordt half mei de finale gehouden.

Gletsch ligt aan de voet van de Rhônegletsjer, circa
5 km van Oberwald. Bij hotel-restaurant *Rhônequelle*
tussen Oberwald en Gletsch kunt u een kijkje nemen
bij de woeste Rhône: 10 minuten lopen naar Bärfel en
dan 5 minuten naar Gletsch, tot de brug (volg de gele
wandelbordjes). In Gletsch , een gehucht dat alleen in
de zomermaanden bewoond is, moet u kiezen tussen de
Grimselpas naar Berner Oberland of de Furkapas naar
Andermatt, Tessin en Graubünden. De Grimselpas is breder en gemakkelijker te rijden, de *Furkapasweg* is smaller,
maar eveneens goed te rijden. Bovendien voert deze weg
langs de Rhônegletsjer en hotel-restaurant *Belvédère*.
Daar is een kleine parkeerplaats, een winkel met souve-
nirs en ook de ingang van de kleine *Eisgrotte*, die elk jaar
opnieuw in de Rhônegletsjer wordt uitgehakt. Net vóór
✸ de **Furkapas** (2431 m) kunt u een laatste blik werpen op
Wallis, want op de pas zelf is dat niet meer mogelijk.

Gletsch
Eisgrotte
Rhonegletscher
Bij open Furkapas,
dagelijks 8-18 uur
volw. CHF 5,
kinderen CHF 2
www.gletscher.ch

Grimentz (1570 m) ligt in het **Val d'Anniviers** terrasgewijs
tegen de helling van de Montagne de Marais. De plaats
is autovrij (parkeerplaatsen langs de doorgaande weg)
waardoor u in alle rust door dit authentieke dorp met zijn
witte kerkje en zijn prachtige huizen vol bloemen kunt
wandelen. De meeste houten huizen zijn uit de 16e eeuw
en in de oorspronkelijke staat. Jaarlijks organiseert het
toeristenbureau een wedstrijd met prijzen voor het
mooist met bloemen uitgedoste huis. U kunt het ook
hogerop zoeken en de kabelbaan naar Bendolla (2112 m)
nemen, een rondje lopen om het fraai gelegen **Lac de
Moiry**, of juist door het dal van de **Navisence** naar **Ayer** en
St-Luc wandelen (wandeling 11, pag. 74).

Grote Aletschgletsjer Dit is met een oppervlakte van
117 km² de grootste gletsjer van het gehele Alpengebied.
✸ In de *Konkordiaplatz*, het verzamelbekken van sneeuw
en ijs aan de voeten van Jungfrau, Eiger, Mönch en
Aletschhorn, ligt zijn oorsprong. Daar stroomt hij langzaam uit weg en 23 km verderop bij de Massa-Schlucht
ten noorden van Brig eindigt hij als gletsjerbeek. Zijn
grootste breedte bedraagt 1800 m, zijn grootste dikte
is 800 m, zijn stroomsnelheid circa 200 m per jaar.
Van drie kanten komen ijsstromen samen om deze
geweldige gletsjer te vormen en wie dan ook op hem
neerkijkt, ziet dat hij uit drie witte banen bestaat met

Typsich Walliser schuur in Ayer (MM)

daartussen in de lengterichting twee linten stof en gruis. De gemakkelijkste manier om bij deze gletsjer te komen is per kabelbaan vanuit **Mörel** in Untergoms naar **Riederalp** of vanaf het treinstation **Betten** naar **Bettmeralp**. Vandaar is het nog maar een uurtje lopen om de gletsjer in zijn volle breedte door het berglandschap te zien slingeren. Er gaat van Riederalp ook nog een kabelbaan door naar Hohfluh en Moosfluh vanwaar de gletsjer echt nog maar op een steenworp afstand ligt.

Op de berghelling langs de gletsjer ligt het beschermde **Aletschwald**, een open bos met lariksen en knoestige arven, enkele wel duizend jaar oud. Riederalp (1920 m) is een autovrij toeristendorp met een golfterrein en het *Alpmuseum Riederalp* met informatie over het bergboerenleven. Het museum bevindt zich in de authentieke *Alphütte Nagulschbalmu* met boerenkeuken en kaasmakerij. In **Riederfurka** staat het bezoekerscentrum *Pro Natura Zentrum Aletsch*, gevestigd in de bijzondere, eenzaam in de bergwereld gelegen *Villa Cassel*. Bij de villa is de hoogste alpentuin van Zwitserland aangelegd. Wandeling 19 (pag. 90) voert van Bettmeralp naar Villa Cassel en langs de Aletschgletsjer.

Grote Aletschgletsjer
Alpmuseum
Riederalp
Nagulschbalmu
eind juni - midden
okt. di. en do. 14-
17 uur
volw. CHF 5,
kinderen CHF 2.50.

Pro Natura Zentrum Aletsch
Villa Cassel
eind juni - eind okt.
dag. 9-18 uur,
volw. CHF 8,
kinderen CHF 5
Tel. 027 928 62 20
www.pronatura.ch

Le Bouveret (375 m) met zandstrand aan het *Meer van Genève*, is echt een centrum voor watersport. Het bezit een jachthaven en een camping, veel vakantiehuisjes en hotelaccommodatie. Voor het officiële strand moet toegang betaald worden.

Het zwemparadijs *Aquaparc* biedt Caraïbische sfeer aan het Meer van Genève, de watertemperatuur ligt rond 28° C en er zijn volop attracties. Verder is er het bezienswaardige *Swiss Vapeur Parc*, waar stoomtreintjes rijden in een miniatuur-Zwitserland. Deze schaalmodellen zijn zo groot dat mensen erop kunnen meerijden.

Le Bouveret
Swiss Vapeur Parc
La Lanche
eind mei - eind
sept. dag. 10-18 uur
volw. CHF 14,
kinderen CHF 12
Tel. 024 481 44 10
www.swissvapeur.ch

Aquaparc
Route de la Plage
dag. 10.30-
20.30 uur
volw. CHF 40,
kinderen CHF 32
Tel. 024 482 00 00
www.aquaparc.ch

Le Châble (820 m) is de hoofdplaats van het *Val de Bagnes*, ten zuidoosten van Martigny. Bij Le Châble gaat een zijweg omhoog naar Verbier, dat zowel in de winter als in de zomer veel toeristen weet te trekken. Ooit was Le Châble de zomerresidentie van de abten van St-Maurice. Er bestaat een bewegwijzerde cultuurhistorische wandelroute van 30 km lengte door het Val de Bagnes. U kunt het lokale museum naast de kerk bezoeken, de smidse van Villette en een houtzagerij.

Voorbij Le Châble klimt de smalle weg langzaam omhoog, onder langs de geweldige *Glacier de Corbassière* die van de Grand Combin (4314 m) afdaalt. Een klein stuwmeertje kondigt *Fionnay* (1490 m) aan, dat in een amfitheater van bergtoppen ligt in het bovendal, Le Haut Val de Bagnes. Hier begint het 150 km² grote natuurgebied *Vallée de Bagnes*, een dalkom omgeven door toppen van 4000 m hoogte, met steenbokken, gemzen en alpenmarmotten en een schitterende alpenflora. Links en rechts liggen gletsjers en bergtoppen.

De nederzetting *Mauvoisin* (1824 m), gelegen aan de voet van de 237 m hoge gebogen stuwdam, fungeert als basiskamp voor bergbeklimmers die hun geluk beproeven op de bergen rondom, maar vlak bij het stuwmeer kunt u ook wandelen.

Les Marécottes (1030 m) ligt diep in de *Vallée du Trient*, met door gletsjers glad gepolijste gelaagde rotswanden. Het heeft luxeaccommodatie en is bij vakantiegasten uit de lage landen duidelijk in trek. Er is een *Alpendierenpark* met onder meer zwarte beren, marmotten, gemzen en steenbokken in een natuurlijk decor. Naast de dierentuin is er het 70 m lange zwembad tussen de rotsblokken, voor kinderen een leuke attractie. Het kikkerbadje wordt zelfs verwarmd; het terras van de pizzeria grenst aan het zwembad. De omgeving wordt gedomineerd door de Dents du Midi. Voor uitzicht op de Mont Blanc neemt u de kabelbaan naar La Creusaz onder de hoge Tour-Sallière.

De *Gorges du Triège*, de kloof van een zijrivier van de Trient bij het dorp Le Trétien (1021 m), vormen een belangrijke attractie vanwege canyoning.

De autoweg loopt hier dood, al is het dal nog niet ten einde; de Mont Blanc Express, een smalspoortrein die alle plaatsen in de Vallée du Trient aandoet, en voetpaden gaan wel door in de richting van Le Châtelard-Frontière op de grens met Frankrijk (zie dagtocht 22, pag. 96).

Leuk Handelsreizigers die vroeger via de Gemmipas of de Lötschenpas in het Rhônedal kwamen, moesten in *Susten* (tegenover Leuk) hun tol betalen en konden in de herbergen van Leuk onderdak vinden. Ze moesten die tol betalen omdat een tolhuis – *sust* betekent 'tol' – de weg tot halverwege een volgend tolhuis onderhield en 'voor wat, hoort wat'. Waar geld verdiend werd, werd ook gebouwd. Zo bezit Leuk (620 m) een aantal oude herenhuizen en een 13e-eeuws slot waarin nu exposities en concerten plaatsvinden. Aan de weg van Leuk naar Albinen ligt het *Satellitenbodenstation* met grote schotelantennes, die een straalverbinding onderhouden met satellieten. De verbindingen zijn vooral voor het telefoonverkeer tussen Zwitserland en ruim zestig andere landen, maar verzorgen ook de uitwisseling van televisiebeelden tussen de verschillende Europese landen. Er is een permanente tentoonstelling (dagelijks geopend, gratis toegang), die laat zien wat de functie van satellieten is in het huidige internationale communicatiesysteem.

De weg van Leuk naar de Gemmipas door het dal van de Dala (zie ook wandeling 12, pag. 76) eindigt in *Leukerbad* (1404 m), dat heerlijk beschut ligt in een brede dalkom met hoge kalkwanden en over een groot aantal thermaalbaden beschikt. Veel reumapatiënten vinden baat bij het calciumsulfaathoudende warme bronwater, maar ook gezonde mensen kunnen hier volop poedelen en zwemmen. Grote mannen als Napoleon en Goethe von-

Les Marécottes
Zoo des Marécottes
Salvan
dag. vanaf 9 uur
volw. CHF 10,
kinderen CHF 6
Tel. 027 761 15 62.

Gorges du Triège
Kanoverhuur
juni-okt.
dag. 10-17 uur
min. leeftijd 14 jaar
halve dag CHF 98
voor 4 personen
Tel. 027 395 45 55
www.nolimits-canyon.ch

Leuk
Satellitenbodenstation
Dag. 8-20 uur
toegang gratis.

Leukerbad
Leukerbad
Tourismus
Tel. 027 472 71 71
www.leukerbad.ch

den al eerder hun weg naar deze weldadige baden. Voor allerlei badvermaak is er het Burgerbad met binnen- en buitenbassins aan de hoofdweg van Leuk naar Leukerbad. De watertemperatuur varieert er van 28° C tot circa 41° C. Liep men vroeger naar de *Gemmipas*, nu gaat er een gondelbaan naartoe en komt u meteen terecht in die schitterende bergwereld met zijn vele bloeiende planten. Vooral in de maanden juni en juli is de natuur hier uitbundig. Toch is het voor de tredzekere lopers een belevenis om zelf naar de Gemmipas (2314 m) te lopen; het is een prachtig pad dat over de oude pasweg uit 1740 voert en zigzag in de steile wand van de Daubenhorn is uitgehakt (circa 3 uur). Voor mountainbikers zijn er vanuit Leukerbad diverse routes uitgezet.

Liddes

Liddes (1255 m) ligt mooi en rustig tussen de Mont Brulé (2569 m) en de Mont Rogneux (3084 m) in het noordoosten en het Massief van de Grand Combin met eronder de Glacier de Boveire. Vanuit Liddes is er een klein weggetje naar het sfeervol gerestaureerde bergdorp *Vichères*, vanwaar men een riviertje door de Combe de l'A kan volgen tot aan de bron bij Mont Ferret (2981 m). Het is een natuurreservaat met orchideeën, prachtige alpenflora, lariks- en arvenbos, herten, reeën, gemzen, alpenmarmotten en steenarenden.

Leuk

Bürgerbad
Dag. 8-20 uur
volw. CHF 19,
kinderen tot 8 jr.
gratis, daarboven
CHF 11
www.burgerbad.ch

Schäferfest
Volksfeest op de
laatste zondag van
juli, herders met
honderden schapen
aan de oever van de
Daubensee.

Leuk, schotelantennes van het Satellitenbodenstation (CE)

Lötschental Verscholen tussen twee hoge bergkammen aan de grens met het Berner Oberland ligt het Lötschental. Bij **Goppenstein** is een station van de Lötschbergbahn, de autotrein naar het Berner Oberland.

Lang was het een weinig bezocht achterafdal, dat alleen bekend was om zijn angstaanjagende arvenhouten carnavalsmaskers en traditionele volksfeesten, waarbij de vrijgezellen van het dal oude, versleten kleren en schapenvachten droegen. Het nauwe dal werd bereikbaar toen in 1912 de spoorwegtunnel gereedkwam tussen Kandersteg in Berner Oberland en Goppenstein. Na Goppenstein volgen de dorpen **Ferden** en **Kippel**. Rijdend door het Lötschental hebt u schitterend zicht op het einde van het dal met zijn grote Langgletsjer.

In Kippel zijn winkels, hotels en restaurants, een kerk en het leuke *Lötschentaler Museum*, dat laat zien hoe de mensen eeuwenlang in dit dal wisten te overleven.

Het kerkhof naast de witte kerk is mooi om zijn eenvoud: kleine houten, donkere kruizen voor de overleden volwassenen en witte op de graven van de kinderen. Even voorbij Kippel gaat er een zweefbaan naar Lauchernalp. Station Lauchernalp is uitgangspunt voor de Lötschentaler Höhenweg naar **Fafleralp** en naar de Lötschbergpas (2690 m), de oude oversteek naar Berner Oberland.

Lötschental
Lötschentaler
Museum
Kippel
juni-okt. di.-zo.
14-17 uur
volw. CHF 5,
kinderen CHF 1
Tel. 027 939 18 71
www.loetschen-
talermuseum.ch

In het Lötschental (CE)

Wie maskers wil zien, kan het best terecht in **Wiler**, daar zitten een paar houtsnijders. Aan de buitenkant van hun winkels grijnzen de groteske maskers u tegemoet.
Bij Fafleralp houdt de weg op met een grote parkeer-plaats. Dit is ook het keerpunt van de bus. Vanaf de par-keerplaats kunnen diverse wandelingen ondernomen worden (onder andere wandeling 15, pag.82) naar de Gletschertor. Het Lötschental is een echt natuurdal met prachtige planten, woeste beken, gemzen, steenlawines en alpenmarmotten.

Martigny
Door zijn strategische ligging op de handels-routes naar Italië en Frankrijk is Martigny (467 m) al sinds de Romeinse tijd een belangrijke plaats. De Romeinen leden in 57 voor Christus een nederlaag tegen de in Wallis woonachtige Keltische Veragri, zo schrijft Julius Caesar in zijn *De bello gallico*. Octodurum heette de plaats toen nog. Ruim veertig jaar later werd het gebied ingelijfd bij het Romeinse Rijk en werd Octodurum door keizer Claudius uitgeroepen tot hoofdstad van de Penninische Alpen. Het werd een belangrijke marktplaats onder een nieuwe naam: Forum Claudii Vallensium.

❀ Het *Musée gallo-romain d'Octodure, Fondation Pierre Gianadda* staat aan de Rue du Forum, op de plaats waar de resten van het oude Romeinse forum (plein) zijn blootgelegd. Dit moderne museum toont archeologi-sche vondsten, maar ook moderne kunst. Bovendien is er een groot aantal antieke auto's te zien uit de periode 1897-1939, waaronder unieke exemplaren als een Delau-nay-Belleville uit 1917, besteld door de Russische tsaar, die hem echter nooit meer heeft kunnen ontvangen.
In de beeldentuin, die op mooie zomeravonden gratis toegankelijk is, liggen resten van een Romeinse villa.
Een klein Romeins amfitheater is net voorbij het museum te vinden; hier worden regelmatig operavoorstellingen gehouden. Er is een stadswandeling uitgezet langs deze Romeinse overblijfselen; het startpunt is het VVV-kan-toor op de Place Centrale. Dit centrumplein met zijn eeuwenoude platanen en caféterrassen ademt een nonchalante, zuidelijke sfeer, vaak opgeluisterd door muziekfestivals.
Dichtbij is ook het *Musée et Chiens du St-Bernard*, gevestigd in een verbouwd arsenaal van het Zwitserse leger. Het interessante museum houdt zich bezig met de

Martigny
Office du Tourisme
6, av. de la Gare
Tel. 027 720 49 49
www.martignytou-
rism.ch

Fondation
Pierre Gianadda
59, rue du Forum
dag. 9-19 uur
volw. CHF 18,
kinderen CHF 11
Tel. 027 722 39 78
www.gianadda.ch

Musée et Chiens du
St-Bernard
34, route du Levant
dag. 10-18, juli-aug.
10-22 uur
volw. CHF 10,
kinderen CHF 6
Tel. 027 720 49 22
www.museesaint-
bernard.ch

Grote St.-Bernardpas en de bekende sint-bernardshonden, waarvan er enkele in grote hokken achter glas of tralies te zien zijn.

Interessante exposities van eigentijdse en exotische
kunst zijn te zien in Le *Manoir de la Ville de Martigny*.
Tegen de stad aan, tegen een achtergrond van wijngaarden, ligt de burcht *La Bâtiaz*. De burchtruïne is gedeeltelijk gerestaureerd en de ronde Savoyetoren troont imposant boven de Dranse. Hij ziet uit over de Rhôneknie, juist
boven Martigny op een door de gletsjers gepolijste rots-
bult, en is opengesteld voor publiek. Ervoor overspant
een overdekte houten brug de Dranse en dicht daarbij
ligt de barokke bedevaartkerk *Chapelle Nôtre-Dame-de-
Compassion* (17e eeuw). Nog dichter naar het centrum is
er de oude stadstaveerne *Grand Maison*, waar beroemd-
heden als Rousseau, Liszt, Jules Verne en Mark Twain logies vonden, getuige de plaquette bij de ingang.

Ten zuiden van Martigny ligt het **Val Champex** met aan
het begin de toegang tot de *Gorges du Durnand*, een
150 m diepe, indrukwekkende kloof met 14 watervallen,
die men over trappen en plankieren een eind kan volgen.
Eind september/begin oktober staat Martigny in het te-
ken van de *Foire du Valais*, de belangrijke traditionele
jaarmarkt waar geheel Wallis zich met klederdrachten,
wijnen en Bagneskazen presenteert. Dan vindt er ook
het *Combat des reines* plaats, het toernooi waarin de
sterkste leidsters onder de zwarte Eringerkoeien uit het
Val d'Hérens strijden om de titel. Iedere donderdagmor-

Martigny
Manoir de la Ville
de Martigny
1, place du Manoir
di.- zo. 14-18 uur
volw. CHF 5,
kinderen CHF 3
Tel. 027 721 22 30
www.manoir-
martigny.ch

Foire du Valais
Jaarmarkt met
traditionele
koeiengevechten in
het laatste week-
einde van sept.

Savoye verovert West-Wallis

De eerste bisschop van Wallis, Theodulus, zetelde al rond 380 in Martigny.
De bisschopszetel verhuisde na twee
eeuwen van tegenspoed echter naar
Sion, dat beter bestand was tegen de
plunderende Longobarden en Ale-
mannen.

In de 13e eeuw verloren de bisschoppen Martigny, dat werd ingenomen
en zelfs tot hoofdstad uitgeroepen
door Savoye. La Bâtiaz, de burcht van
de bisschop van Sion, werd in 1259
door Peter II van Savoye veroverd en
versterkt.

Ook Saxon en Saillon verderop in het
Rhônedal kwamen in Savooise handen, zodat er van burcht tot burcht
geseind kon worden met vuren en
vlaggen. Het huis Savoye en de bisschoppen van Sion bestreden elkaar
te vuur en te zwaard en hadden beurtelings de burchten in handen.

In 1518 eindigde de touwtrekkerij,
toen La Bâtiaz belegerd en verwoest
werd door Georges Supersaxo, een
zoon van de bisschop van Sion, die
zich tegen zijn vaderland keerde en
daarmee Savoye in de kaart speelde.

gen is er een weekmarkt. Aantrekkelijk zijn ook de vele
kunstgaleries en de *Fondation B. & S. Tissières*, met exposities gewijd aan mijnbouw en mineralen. Martigny ligt
zeer gunstig als uitgangspunt voor een verkenning van
West-Wallis.

Martigny
Fondation
B. & S. Tissières
6, avenue de la Gare
dag. 10-18 uur
Tel. 027 723 12 12
www.fondation-
tissieres.ch

Mattertal Net voorbij Stalden begint met een geweldige
kloof het ruige, diep ingesneden V-vormige Mattertal
met de wildstromende Matter Vispa. Indrukwekkend is
een reis met de trein van de Matterhorn-Gotthard-Bahn
door dit dal, langs de Vispa, over hoge bruggen en langs
kale rotswanden.

St. Niklaus (1127 m) is een kleine plaats waarvan de kern is
ingepakt door industrie. In de omgeving is daar niets van
te merken, dicht bij het dorp liggen hooilandjes, boomgaarden en moestuinen, daarboven bossen met fijn-
sparren, lariksen en berken en links en rechts rijzen uit
het dal toppen van 3000 m en meer omhoog. Op een
plateau hoog boven St. Niklaus ligt *Grächen*, het regen-
armste dorp van Zwitserland. Het heeft een oude kern en
is een prachtig uitgangspunt voor wandelingen in het
Mattertal. Iets dieper in het nu bredere Mattertal ligt
Randa (1445 m), dat vooral een wintersportplaats is.
Vanuit Randa is het zicht op de Dom in de Mischabel-
groep in het oosten fenomenaal, terwijl in het westen de
Weisshorn (4506 m) ook hoge ogen gooit. De hellingen
van deze bergen zijn 's winters en 's zomers in gebruik
voor skiën, langlaufen en bergbeklimmen. *Täsch* (1449 m),
5 km vóór Zermatt, is het laatste punt waar men op de
trein kan stappen naar Zermatt. Vanaf Täsch is de weg
voor auto's afgesloten.

Miex en Le Flon (1049 m) liggen op een grazig plateau.
De weg eindigt op de parkeerplaats van Le Flon, ook eindhalte van de postbus. Daar beginnen wandelpaden naar
het Meer van Tanay (1415 m) met de berg Grammont en
naar Torgon.
Het natuurreservaat *Tanay* is een van de laatste stand-
plaatsen in Wallis van de alpenkruisdistel. Het idyllische
meertje ligt in een 5 km lange kom en lijkt nergens op af
te wateren. Maar het water verdwijnt via rotsspleten
(*tanières*) en wordt benut door een kleine krachtcentrale.
Het wandelgebied boven het meer is ook te bereiken vanuit *Vionnaz* (ook aan weg nr. 21). Daar klimt een weg

langs Revereulaz omhoog naar het kleine, welvoorziene **Torgon** (1084 m), startpunt voor wandelaars, mountainbikers en parapenters.

Monthey (426 m) vormt de toegangspoort tot de dalen van Illiez en Morgins, waar de Vièze vandaan komt. Van het oude 13e-eeuwse *Château-Vieux* van Savoye rest nog maar weinig. Des te meer valt het *Château-Neuf* op. Er is nogal wat industrie in Monthey, maar het is er ook leuk winkelen en uitgaan. Aan de zuidkant van de stad ligt over het riviertje de Vièze een monumentale houten, overdekte brug, gebouwd in 1809. 's Zomers is er in het cultureel centrum *Théâtre du Crochetan* van alles te doen: theater, ballet, klassieke muziek en jazz.

Het Frans-Zwitserse grensgebied boven Monthey noemt men *Portes du Soleil*. Het is een immens wintersportgebied met aan Zwitserse zijde klinkende namen als Champéry en Morgins. De Franse tegenhangers zijn Abondance, Avoriaz en Morzine.

's Zomers leent deze streek zich goed voor wandelingen, fiets- en bergsport. De belangrijkste doelen liggen op hoge terrassen en zien over het brede Rhônedal uit op de kalkalpen van Vaud.

Het Val de Morgins met het dorp **Morgins** (1333 m), is een vrij rustige uitvalsbasis voor een sportieve vakantie, goed vergelijkbaar met Champéry, alleen eenvoudiger. Voor wandelingen bovenin is de stoeltjeslift Morgins – La Foilleuse goed bruikbaar.

Münster (1390 m) is de belangrijkste plaats aan de voet van het Münstigertal. Er staan donkere houten huizen en een wit geschilderde kerk met mooie beelden in het portaal. Iets dichter bij het centrum staat aan de andere kant van de weg de oude *St.-Peterskirche* uit 1309, die onlangs is gerestaureerd. Hoog boven het dorp op de Biel-Hügel staat de *Antoniuskapelle*, die al eeuwenlang door bedevaartgangers wordt bezocht. Een iets lager gelegen groot rotsblok heet in de volksmond de *Teufelstein*; twee gaten worden aangewezen als afdrukken van de vuisten van de duivel.

Naters (673 m) is de oude hoofdstad van het Gomsertal en was ooit bekend om zijn huizen op palen en eeuwenlang begeerd en bestreden om zijn Rhônebrug. Het heeft

Monthey
Théâtre du
Crochetan
6, rue du Théâtre
Cultureel
zomerprogramma
Tel. 024 471 62 67.

Luzernevlinder op vanilleorchis (MM)

een klein, aantrekkelijk centrum rond de witte *St.-Mauri-tiuskirche* (17e eeuw) met een opvallende toren van 54 m hoog (12e eeuw). Vlak naast de kerk in de Beinhausstraße is het *Beinhaus*, een bijzonder knekelhuis (wandeling 18, pag. 88). Naast de minstens 600 jaar oude linde hebben de bewoners alvast een nieuwe linde geplant, die ooit diens taak kan overnemen. *Blatten* (1322 m), 8 km voorbij Naters, is een bergdorp met een oude kern rond de *St.-Theodullskapelle*. Van Blatten gaat een kabelbaan naar *Belalp* (2086 m), waarvandaan veel bewegwijzerde routes volop wandelmogelijkheden bieden, onder andere naar de Aletschgletsjer. Bij de VVV is informatie te krijgen over tochten onder begeleiding, die vrijwel dagelijks worden georganiseerd en waarbij een gletsjeroversteek naar Riederalp op het programma staat. Ook wordt er gewandeld met kinderen.

Obergesteln (1335 m) beantwoordt niet aan het beeld van een Walliser dorp: de meeste huizen zijn van steen en bovendien zijn de gevels hier en daar met elkaar verbonden. Na een brand in 1868, die vrijwel het hele dorp in de as legde, heeft men het uit veiligheidsoverwegingen in steen herbouwd. Het dorpje speelde al een rol in de Romeinse tijd, omdat het op de transportroute lag vanuit

Italië naar het noorden via de Grimsel. Voor een tocht over de Rhône zijn in Obergesteln raftboten te huur.

Obergoms Van Fiesch naar Gletsch aan de voormalige voet van de Rhônegletsjer ligt het dal een etage hoger en wordt het vaak aangeduid als Obergoms. De Rhône stroomt hier in een vrij breed U-vormig dal met groene weiden en steile hellingen aan weerszijden. De zonnige hellingen zijn veelal kaal met hier en daar lawinehekken en kleine kostgrondjes, de beschaduwde hellingen zijn bebost met lariks, fijnspar, zilverspar en berk.

Uit vele zijdalletjes voegen beken uit de Walliser en Berner Alpen water toe aan de groeiende Rhône. Bij de uitmondingen van de zijdalen liggen de dorpen met mooie, donkerbruine houten huizen, kapelletjes en kerken en overal spuit koel verfrissend water uit fonteinen. Grote plaatsen zijn hier niet meer te vinden.

Oberwald (1377 m) In dit toeristendorp kunnen auto's inschepen voor de trein die door de Furka-Basistunnel naar Realp aan de andere kant van de Furkapas rijdt. Een stoeltjeslift gaat van Oberwald naar Hungerberg, dat 400 m hoger ligt op de beboste hellingen van de Blashorn (2777 m). Oberwald heeft een vroegbarokke

De geneeskrachtige arnica of wolverlei (MM)

kerk met een ui-toren, wat een zeldzaamheid is in Wallis. Het dorp is een prima uitgangspunt om te fietsen door de regio Goms. Op het station is een ruim aanbod van huur-fietsen, die u na het fietsen op de stations van Reckingen of Fiesch weer kunt inleveren. Ook worden rafttochten over de Rhône en talrijke wandelingen georganiseerd.

Orsières (879 m) is een aardige plaats met huizen met kleurige luiken. Het kerkje, achter een gemoedelijk dorps-plein, heeft een goed gerestaureerde romaanse toren en een gotisch gewelf met kruisribben.

Ten noordwesten van Orsières ligt *Champex-Lac* (1465 m) aan een meer in een bosrijk gebied. Er is een stoeltjeslift naar La Breya (2188 m), en ook ten noorden van Champex valt goed te wandelen op de huisberg Catogne (2598 m). Voor de natuurliefhebber en macrofotograaf is er de *Alpentuin Floréalpe* aan het meer. In de tuin groeien meer dan 3000 soorten. Wie eind juni komt, ziet vrijwel alle planten bloeien.

Interessant is een bezoek aan het *Val Ferret*. De eerste plaats in het dal is het landelijke *Som La Proz* (968 m), waar de weg uit Champex-Lac uitkomt. Daarna volgt *Issert* (1055 m), dan *Praz-de-Fort* (1151 m) met zijn brug over de Dranse, mooie houten huizen en het kleine streekmuseum. Van de dalwanden is de westelijke het ruigst en het steilst. Deze wordt gevormd door de flanken van het Mont-Blancmassief. Naarmate het dal vordert, blinken steeds meer gletsjers op. Bij *La Fouly* (1593 m) is dat de *Glacier-de-l'A-Neuve*. La Fouly is de verblijfplaats bij uitstek in dit dal. Er zijn tal van sportieve mogelijkhe-den; voor zwaardere en meerdaagse bergtochten kan men hier professionele berggidsen te hulp roepen.

Aan het einde van de weg ligt het kleine *Ferret* (1707 m), waar wandeling 5 begint (pag. 62).

Pfynwald Tussen Sierre in Midden-Wallis en Leuk in Oost-Wallis ligt het Pfynwald (*Bois de Finges*), een be-schermd natuurgebied. Dit uitgestrekte bos op de bodem van het Rhônedal strekt zich uit over een lengte van 6 km en is dalvullend. Het ligt op een oude bergstorting van de Varneralp.

Dit is het enige deel waar de Rhône nog vrij meandert en eilanden vormt; het is nog steeds niet gelukt de Rhône hier in rechte banen te leiden. Steppevegetaties, bos van

Champex-Lac
Floréalpe
mei-okt.
dag. 9-18 uur
volw. CHF 4
kinderen CHF 1
Tel. 027 783 12 17
www.fondationau-bert.ch

grove dennen met maretakken en donzige eiken wisselen af met drassige stukken. Behalve een zeldzame flora herbergt het ook insecten (zoals de zangcicade, bidsprinkhaan en koningspage), amfibieën, slangen (zoals de esculaapslang) en bevers. Van mei tot oktober zijn er elke woensdagmiddag en zaterdagochtend excursies door het gebied. Ook loopt door een deel van het Pfynwald/Bois de Finges een *Waldlehrpfad*, waarvan de beschrijving te koop is bij de camping *Bois de Finges* (komend vanuit Sierre direct over de Rhônebrug aan de linkerhand). Parkeren kan bij de camping, of even voorbij de camping aan de linker- en rechterkant van de drukke weg. De wandeling begint circa 100 m voorbij de camping en loopt voor een deel samen met een trimroute. Niet verwonderlijk, want als het muggentijd is, wordt u tijdens de wandeltocht vreselijk gestoken en kunt u beter rennend de route afleggen. Toch is hij de moeite zeker waard, hier ziet u de rivier nog meanderen en ziet u hoe de rivier in de loop der eeuwen een diep doorsneden landschap heeft gevormd. Wie dit bos heeft gezien kan zich voorstellen dat hier vroeger ook een echte scheidslijn lag. De Romeinen gaven het de naam Ad Fines (bij de grens, aan het eind), nu ligt er de grens tussen het Franssprekende deel van Wallis en het Duitssprekende deel. Vanaf hier naar het oosten wordt eigenlijk alleen nog (Zwitser)duits gesproken. De Rhône heet dan verder *Rotten*.

De bergen vanuit Saas Fee (MM)

Riddes en Isérables

Riddes (491 m) is een kleine plaats tussen wijngaarden die voornamelijk dienst doet als doorgangsplaats naar het erboven liggende Isérables en *Mayens de Riddes*. Isérables (1116 m) ontleent zijn naam aan de *érable* (esdoorn). Het dorp met zijn nauwe straten is een uitstekend uitgangspunt voor wandelingen; het biedt zicht over het Rhônedal naar de Alpes Vaudoises en het Berner Oberland. Isérables is met Riddes verbonden via een weg en een cabinebaan. Bij het bergstation staat het *Musée folklorique d'Isérables* met Walliser kristal en traditionele gebruiksvoorwerpen van de plaatselijke bevolking. Wanneer de boeren en herders in mei met de koeien naar boven trokken, bleef een aantal er 's zomers wonen. Zo'n 'zomerresidentie' kreeg de naam *Mayens*, met als achtervoegsel de naam van het dorp of de plaats waar men vandaan kwam. Mayens de Riddes was zo'n zomerresidentie. Het ligt op een respectabele hoogte, tussen de 1106 en 1560 m. *La Tzoumaz* is de naam van het nieuwe sport- en hoteldorp dat hier is gebouwd, niet veel meer dan een efficiënte verzameling vakantiehuizen, een geschikt uitgangspunt voor wandelingen naar Les Attelas en Verbier.

Isérables
Musée folklorique
d'Isérables
Rue du Téléphérique
juli-sept.
di.-zo. 13.30-16 uur
Tel. 027 306 64 85
www.iserables.org

Saas Almagell

(1670 m) ligt aan de weg naar het stuwmeer Mattmarksee (2170 m). Vroeger gingen reizigers en handelaren hierlangs via de Monte Moropas (2868 m) naar het Italiaanse Macugnaga, een weg waarvan men zeker weet dat deze al in de 13e eeuw in gebruik was. De Mattmarksee wordt gestuwd door een aarden wal van 115 m hoogte die eind jaren vijftig werd aangelegd. Het water dient voor de opwekking van elektriciteit: eerst nabij Saas-Almagell en vervolgens in Stalden. De jaarproductie is ruim 500 miljoen kWh.
Het gebied rondom het meer is beroemd om zijn alpenweiden, die eind juni volop in bloei staan.

Saas Fee

(1790 m) ligt bij wijze van spreken tegen de voet van de Feegletsjer aan. Saas Fee is autovrij. Bij het binnenrijden van het dorp wordt u vanzelf door een parkeergarage geleid, keren is hier niet mogelijk, de eerste periode kost echter niets.
Het toeristenbureau ligt aan het begin van het dorp, tegenover het busstation. Daar is een kaart met wandelroutes en mountainbikeroutes verkrijgbaar en een platte-

Saas Fee
Saas-Fee Tourismus
Tel. 027 958 18 58
www.saas-fee.ch

grond van Saas Fee met daarop de dalstations van de
kabelbanen en de alpiene metro (Metro Alpin). Lopend
door het dorp vangt u af en toe een glimp op van de
schitterende Feegletsjer (zie ook wandeling 17, pag. 86).
In het centrum is in de vroegere pastorie bij het moderne
kerkje het *Saaser Museum* gevestigd. Ook kunt u het
Bäckermuseum bezoeken.

Het dorp heeft nog enige oude huizen, maar het aantal
hotels is veel groter. Achter het dorp ligt een lariksweide
met eeuwenoude lariksbomen en daarachter ligt de forse
Feegletsjer, waar wandeling 17 (pag. 86) langs voert.
Kabelbanen brengen ook hogere gebieden binnen bereik
zonder al te veel inspanning (flinke korting met bijvoorbeeld de *Erlebniscard*, zie pag. 129).

✳ Een topper is de *Alpin Express* via **Felskinn** naar **Mittelallalin** op 3500 m (zomerski). Daar is een panorama-
restaurant dat in een uur helemaal ronddraait en er is
in de Allalingletsjer een enorm ijspaviljoen uitgehakt,
compleet met glijbaantje en kindertunneltjes. Langs
de trappen staan bordjes om te waarschuwen voor een
laag zuurstofgehalte op deze hoogte. Daardoor kunnen
inspanningen snel leiden tot duizeligheid.

Sensationeel is ook een bezoek aan het *Abenteuerwald*.
Vlak naast het dalstation van de Alpin Express verplaatsen de bezoekers zich van boom tot boom door het
mooie bos, via ladders, hangbruggen, lianen, tyroliënnes
(kabelbanen) en nog diverse andere varianten.

Saastal Het beboste, diep ingesneden Saastal doet niet
onder voor het Mattertal, al mist het natuurlijk de Matterhorn. Het Saastal kan zich echter beroemen op het
Mischabelmassief met de Dom (4545 m) als hoogste
geheel Zwitserse top. Verder zijn er nog eens meer dan
tien vierduizenders met hun uitgestrekte gletsjers daartussen.

Heel verrassend is het om in **Saas Balen** (1483 m) het witte kerkje *Maria Himmelfahrt* te zien opdoemen. Dit 18e-
eeuwse kerkje is een van de origineelste bouwwerken
van Wallis en heeft een grondpatroon dat lijkt op een 8.
De houten kruisen op het kerkhofje staan er strak in het
gelid.

Saas Grund (1559 m) is de hoofdplaats van het dal. Gelegen tussen de Weissmies (4023 m) en het Mischabelmassief biedt het plaatsje volop mogelijkheden voor wande-

Saas Fee
Saaser Museum
juni-okt. ma.-wo.,
vr. en za. 10-11.30 en
13.30-17.30 uur
volw. CHF 5,
kinderen CHF 2.50.

Bäckermuseum
dag. 7-19 uur
toegang gratis
Tel. 027 958 12 58.

Eispavillon
ijsgrot bij Allalin
juni-aug. dag.
volw. CHF 5,
kinderen CHF 2.50.

Abenteuerwald
juli-half sept.
dag. 10-17 uur
volw. CHF 22,
kinderen CHF 16.

**International Al-
pine Music Festival**
eerste week van
juli, folklore uit de
Alpen en uit andere
culturen.

**Saas-Fee
Summer Festival**
eerste helft aug.
klassiek, symfonie-
orkesten, kamer-
muziek en solo-op-
tredens.

In het ijspaviljoen van Saas Fee (CE)

len en klimmen, onder andere naar het beschermde
natuurgebied van de Grundberg. Het heeft twee kabelbaantjes. Rond Saas Grund en Saas Balen zijn 250 km bewegwijzerde voetpaden uitgezet. Vanuit Saas Grund leidt
een interessante Kapellenweg naar de kapel *Zur Hohen
Stiege* in Saas Fee. Deze weg werd in de 17e eeuw aangelegd. Langs het steile pad staan 15 kapellen met meer dan
100 uit hout gesneden beelden erin. De *Blumenpromena-
de* is een wandeling van ca. 3 uur, voorzien van
informatieborden met foto's. Op de wandeling kunnen
zeldzame alpenbloemen aangetroffen worden.

Saillon ligt op een karakteristieke burchtheuvel (510 m).
Hier had Pierre de Savoye een fors kasteel gebouwd, misschien met de bedoeling zijn aartsvijand, de bisschop van
Sion, te tergen. De bewoners van de stad bouwden hun
huizen binnen de ringmuur tegen de heuvel waar het
kasteel bovenop stond en zelfs, in hang naar veiligheid,
tegen de kasteelmuren aan. Tot de 15e eeuw hield het
kasteel stand, toen werd het verwoest door de bisschop
van Sion. Gelukkig is het middeleeuwse burchtstadje
goed behouden gebleven, de stadsmuren zijn nog vrijwel
intact. Van de kasteelruïne is alleen de ronde toren van
Bayart uit de 13e eeuw nog intact. Vanaf deze toren kan
men de ommuring van het stadje goed overzien.
Door de warme bronnen, halverwege de helling, heeft
Saillon ook betekenis als bronnenbadplaats. *Les bains de
Saillon* heet het badencomplex met verschillende bin-

Saillon
Bains de Saillon
dag. 8-21 uur
volw. CHF 18,
kinderen CHF 12
Tel. 027 743 11 70
www.bainsde-
saillon.ch

nen- en buitenbassins. Een reuzeglijbaan maakt dit kuurbad ook voor kinderen aantrekkelijk.
In Saillon is het *Falschgeldmuseum* te bezichtigen.
Aan de voet van de Pierre Avoi (2473 m) ligt **Saxon** (533 m)
tussen abrikozenboomgaarden. In de 13e-15e eeuw was
het, net als Saillon, een vooruitgeschoven post van de
heren van Savoye die in West-Wallis heersten. Als men op
de burcht van Saillon zag, dat de vijandelijke troepen van
de bisschop van Sion oprukten, werd dit met vuur- en
vlagsignalen doorgeseind naar het kasteel van Saxon, dat
de boodschap weer doorgaf aan Martigny. In de 15e eeuw
werd het kasteel verwoest. De ruïnes van de toren en het
bijbehorende kerkje liggen op de helling boven het dorp.

Saillon
Falschgeldmuseum
Haus Stella
Rue du Bourg
wo.-zo. 14-17 uur
volw. CHF 5,
kinderen gratis
Tel. 027 744 40 03.

Salvan (925 m) heeft een groot aantal toeristische voorzieningen en ligt op de 'zwevende' monding van het
Trientdal boven het Rhônedal. Opzij leidt een weg naar
Van-d'en-Haut (1393 m), waar het verharde wegdek ophoudt. Het is dan nog 2 uur lopen naar het **Lac de Salanfe**
(1925 m) met zijn herberg. Hierlangs gaat weer de wandelroute *Tour des Dents-du-Midi* (zie ook Champéry).
Een plateau vol gigantische rotsklompen, met de torens
van de Dents du Midi erbovenuit, kenmerkt het ruige
landschap van Salanfe.

Sierre (Siders) Na de hoofdstad Sion is Sierre (533 m)
de belangrijkste plaats in Midden-Wallis, en net als Sion
is het op heuvels gebouwd, hier echter op vier minder
hoge heuvels. Rond 1930 woonden er nog maar zo'n 5000
mensen, inmiddels ruim 13.000. De bevolkingsaanwas
sindsdien is vooral het gevolg van de gunstige ligging van
Sierre in het Rhônedal, waar vele Zwitsers van elders en
buitenlanders door werden aangetrokken.
De oude kern is vrij klein en herbergt een paar historische
gebouwen en een brede winkelstraat: de Avenue Général-Guisan. Bij de VVV kunt u een stadsplattegrond krijgen met een wandelroute langs de kastelen, de *Promena-
de des Châteaux*. Vanuit de stad is er telkens uitzicht op
de wijngaarden aan de noordzijde van het dal.
Het slot van het oude Sierre, nu een ruïne, werd gebouwd
in de 13e eeuw, de marktplaats in de 14e eeuw. Tot de 15e-
eeuwse gebouwen behoren het *Château des Vidomnes*,
een kasteel dat bestaat uit een rode, vierkante woontoren en de Notre-Dame-des-Marais. In het zuidoostelijk

Sierre
Office du Tourisme
de Sierre, Salgesch
et Environs
10, place de la Gare
Tel. 027 455 85 35
www.sierre-
salgesch.ch

Fondation
Rainer Maria Rilke
30, rue du Bourg
apr.-okt. di., wo.,
vr.-zo. 15-19 uur
volw. CHF 6,
kinderen gratis.

Château Mercier in Sierre (CE)

stadsdeel staat de *Tour de Goubing* waaraan nogal wat
gesleuteld is, maar die desondanks zijn krijgshaftig uiter-
lijk heeft behouden. Het *Château de la Cour* van 1658
werd in 1885 verbouwd tot hotel en is nu in gebruik als
stadhuis. In het stadhuis bevindt zich de *Collection des
Étains*, een Zwitsers-Franse verzameling tinnen voorwerpen uit de 17e-19e eeuw. Het *Musée Rilke* in het Maison de
Courten is gewijd aan leven en werk van de dichter Rainer
Maria Rilke (1875-1926). De uit Praag afkomstige Rilke
woonde en werkte vanaf 1919 in Zwitserland. Vanaf 1921
gebruikte hij de 13e-eeuwse woontoren *Muzot*, net buiten Sierre, als zijn vaste woonplaats. In Raron is hij begra-
ven.

Het *Château Mercier* heeft geen historische waarde, maar
ligt in een prachtig park dat vrij toegankelijk is. Indrukwekkend zijn de drie enorme cipressen aan de frontzijde
van het kasteel.

In het wijndorp **Salgesch** bevindt zich een wijnbouwmu-
seum in het *Zumofenhaus*. Van hieruit kunt u een 6 km
lange informatieve wijnbouwwandeling maken naar de
befaamde wijnkelder *Château de Villa* in Sierre, waar ook
een museum is. Voor natuurliefhebbers is er bij Salgesch
ook nog een interessante wandelroute (Smaragdhagedis-
senpad, 1 uur 30 min.) die een beeld geeft van het steppe-
milieu op de zonnige hellingen. De beschrijving vindt u in
een kastje bij het begin van de route. Bij *Caves Montain*
aan de Unterdorfstrasse de spoorbrug oversteken en
rechts aanhouden.

Salgesch
Walliser Reb- und
Weinmuseum
Zumofenhaus Mu-
seumstraße Apr.-
nov. di.-zo.
14-17 uur
volw. CHF 5,
kinderen CHF 4
www.musee-
valaisanduvin.ch

Simplonpasroute Hoewel het zeker is dat de Romeinen deze weg gebruikten en de familie Stockalper (zie kader pag. 12) in de 17e eeuw rijk werd door het bezit van de pas werd deze oversteek pas echt belangrijk toen Napoleon er werk van maakte. Hij liet van het muilezelpad, dat door de diepe Saltina- en Gondokloof leidde, een weg maken voor het vervoer van zijn troepen naar het zuiden. Toen deze weg in 1808 gereedkwam, was daarmee de weg Genève – Milaan compleet. Dat in 1815 de Oostenrijkse troepen gebruik van deze weg zouden maken om Napoleon een beslissende nederlaag toe te brengen, heeft hij nooit kunnen bevroeden. Vanaf die tijd is de bochtige weg steeds verder verbeterd; in 1890 werd de 678 m lange *Ganterbrug* in gebruik genomen die op pijlers van 160 m het Gantertal overspant.

Een ander wapenfeit is de aanleg van de *Simplontunnel*: in 1906 ging de eerste trein over het bijna 20 km lange traject dat ruim 2000 m onder de bovenliggende bergtoppen doorgaat. De Simplonpasweg is goed te berijden en biedt op een aantal punten magnifieke uitzichten. Wie van de uitzichten wil genieten, hoeft niet verder te gaan dan tot de echte pas (2005 m), die ruim vóór de Italiaanse grens ligt. Op de pas staat ter herinnering aan de mobilisatie van 1939 een stenen arend (It.: *sempione*), die zijn blik waakzaam naar Italië richt, maar ook het hospitium van de Stockalpers en een aantal legerkazernes.

Sion, het plafond in Maison Supersaxo (CE)

Na de pas begint de afdaling naar **Simplon Dorf**, waar zich het *Ecomuseum* bevindt en Konditorei Beck lekker gebak verkoopt. De weg vervolgend komt u in **Gondo** (855 m), dat als een arendsnest tegen de rotsen ligt en het grensdorp is. Wie niet de grens over wil, zal op de smalle weg met moeite kunnen keren.

Simplon Dorf
Ecomuseum
Alte Gasthof
dag. 13-17 uur
volw. CHF 4,
kinderen CHF 2.

Sion (Sitten) Als een spin in zijn web ligt Sion in

Midden-Wallis. Deze hoofdstad van het kanton Wallis werd gebouwd op en om twee hoge heuvels in het Rhônedal, die de eerste bewoners bescherming boden tegen de Rhône als deze weer eens buiten haar oevers trad èn tegen aanvallers. In de middeleeuwen werd op de heuvel Tourbillon een burcht gebouwd, waar nu de imposante resten nog van te zien zijn, en op de heuvel Valère een nog steeds aanwezige en gerestaureerde vesting met binnen de muren een basiliek. Aan de voet van de heuvels ligt het huidige Sion, mooi, aantrekkelijk en met veel winkels en terrassen.

Sion
Office de Tourisme
Place de la Planta
Tel. 027 327 77 27
www.siontourisme.
ch

Musea van Sion
Tel. 027 606 46 70
www.museum-
wallis.ch

Festival Internatio-
nal de Musique
Aug. en sept.
klassiek, symfonie-
orkesten, kamer-
muziek en recitals
Tel. 027 323 43 17
www.sion-festival.ch

✶ Een wandeling door de stad en naar de beide burchtheuvels is een belevenis: verrassende hoeken en pleinen, parkjes, statige huizen, gezellige drukte, interessante musea, alles heeft het. Ook op de fiets kunt u stad en omgeving verkennen, op de Place de la Planta zijn dagelijks van 9-19 uur gratis fietsen te leen. Op de Place de Majorie bevinden zich het *Kantonaler Archeologisches Museum* en het *Kunstmuseum*. Het archeologische museum is een bezoek waard om zijn collectie gegraveerde grafzuilen uit de steentijd (2800-2500 voor Christus). Ook de resultaten van opgravingen in Wallis zijn er te zien, met gebruiksvoorwerpen tot 30.000 jaar oud. Dagtocht 21 (pag. 94) is een wandeling met stadsplattegrond langs alle bezienswaardigheden van Sion. Vanuit Sion zijn de dalen van Midden-Wallis (Mittelwallis of Valais-Central) en het dal van Derborence in West-Wallis gemakkelijk te bereiken.

Sonnige Halden Op de zonnige hellingen boven de

Rhône ligt een aantal plaatsen: de 'Sonnige Halden'. Ze zijn met elkaar verbonden door de spoorlijn Bern – Lötschberg – Simplon. Deze spoorlijn gaat vele malen door tunnels, maar steekt hier en daar ook op spectaculaire wijze met hoge viaducten dalen over. De dorpen **Hohtenn**, **Ausserberg** en **Eggerberg** langs de lijn hebben het authentieke Walliser karakter grotendeels behouden. Tussen Hohtenn en Eggerberg loopt een *Höhenweg*, onder andere langs de vroegere irrigatiekanaaltjes, de suonen of bissen (circa 5 uur lopen; onder meer langs het *Bachblütenlehrpfad* bij Eggerberg). Behalve de dorpen aan de spoorweg kunnen ook **Niedergesteln** en **Raron** als uitvalsbasis voor tochten dienen. Bovendien is Raron (642 m) met zijn 12e-eeuwse woontoren een bezoek waard, bijvoorbeeld als het hoger in de bergen te koud is. Markant steekt boven het dorp de *Burgkirche St. Romanus* uit 1517 uit; voor de bouw gebruikte architect Ruffiner de dikke buitenmuren van het voormalige slot en de oude ringmuur die eens het lokale heersersgeslacht der Rarons beschermden. Op het kerkhof is het graf van de dichter Rainer Maria Rilke (1875-1926) die, afkomstig uit Praag, zijn hart verpandde aan Wallis en er zijn laatste jaren sleet. In de oude pastorie van Raron wordt onder meer het leven van Ruffiner en Rilke aanschouwelijk gemaakt. Tegenover Raron (aan de overzijde van de Rhône) is het dalstation van gondelbanen naar **Eischoll** (1230 m) en **Unterbäch** (1229 m). Beide dorpen liggen in een aantrekkelijk kleinschalig bos-weidegebied. Van Unterbäch gaat een stoeltjeslift naar de Brandalp (1591 m), een uitgestrekt weidegebied, en het Augstbordhorngebied met de dorpen **Bürchen** (1283 m) en het schitterend gelegen **Zeneggen** (1444 m). Zie voor een wandeling bij Bürchen dagtocht 14, pag. 80. Behalve voor wandelen is het Augstbordhorngebied ook zeer geschikt voor mountainbikers, er is inmiddels een groot aantal routes uitgezet.

St-Gingolph

Deze grensplaats (399 m) aan het Meer van Genève heeft een sfeervol haventje en een boulevard met wat hotels en terrasjes aan het meer. Snoekbaars, meerforel en gamba's worden er geserveerd. Voor het echte strand moet u bij Le Bouveret zijn, maar toch wordt ook in St-Gingolph gezwommen in het meer (zie ook wandeling 1, pag. 10).

Eind oktober is er van oudsher een *kastanjefeest*, want dan rijpen massaal de tamme kastanjes op de hellingen boven het dorp. In het 16e-eeuwse kasteel en raadhuis is het streekmuseum ondergebracht, het *Musée des Traditions et des Barques du Léman* (lokale gebruiken, visserij, scheepvaart).

St-Gingolph
Musée des
Traditions et les
Barques du Léman
Château de St-Gingolph
juli en aug. dag. 14-17.30 uur
volw. CHF 5,
kinderen gratis
Tel. 024 482 70 22
www.st-gingolph.
ch/musee

Op de spoorlijn langs het meer van Genève tot aan Evian kunt u in de zomermaanden een nostalgisch ritje maken met de stoomtrein.

St-Léonard (500 m) herbergt het grootste onderaardse meer van Europa. Het meer is ontstaan in kalk- en gips-lagen, die deels door water werden opgelost. Het is 300 m lang, tot 18 m breed en maximaal 5 m diep. Het grillige gewelf van de grot verheft zich 20 m boven de waterspie-gel. Bezoekers worden dertig minuten in platte bootjes rondgevaren, waarbij de gids al roeiend vertelt over de grot en zijn ontstaan. Het gebied ten zuiden van de Rhône tussen Sion en Sierre is opgenomen in fietsroute 7 (pag. 66). Ongeveer halverwege, bij *Granges*, ligt *Happy-land*, een groot attractiepark voor kinderen.

St-Maurice Achter een kloofachtige vernauwing van het Rhônedal doemt het stadje St-Maurice (418 m) op, juist om de hoek van een weerbarstige rotswand, waarop een stevig 15e-eeuws slot is geplant. Binnen de sterke muren van dit kasteel worden interessante tentoonstellingen georganiseerd.

✳️ Boven de burcht, via een koele, 1 km lange onderaardse gang, komt u in de lieflijke *Grotte-aux-Fées* (dagelijks geopend). De gang is door een onderaardse rivier uitge-sleten en leidt langs een miraculeuze bron. Wie de lin-kerhand erin dompelt en in stilte een wens uitspreekt, mag rekenen op de welwillendheid van de goede fee. Aan het eind van de gang is een ondergronds meertje dat gevoed wordt door een plenzende waterval. De belangrijkste bezienswaardigheden van St-Maurice, de Grand Rue, het stadhuis en de abdijkerk, liggen dicht

St-Léonard
Lac souterrain
juni-sept. 9-17.30 uur
volw. CHF 10,
kinderen CHF 5
Tel. 027 203 22 66
www.lac-souter-
rain.com

Happyland
mrt.-okt. 11-18 uur
volw. CHF 25,
kinderen CHF 22,
tot 3 jr. gratis
Tel. 027 458 34 25
www.happyland-
new.ch

St-Maurice
St-Maurice Tourisme
1, avenue des
Terreaux
Tel. 024 485 40 40
www.saint-
maurice.ch

De legende van St. Mauritius

Mauritius was de aanvoerder van het 3000 man tellende Thebaanse legioen, dat in 287 door de Romeinse keizer Maximianus Herculius werd uitgezonden om Gallië in te lijven. Mauritius en veel van zijn mannen waren heimelijk christen, en weiger-den te offeren aan de Romeinse keizer en de goden voor een gunstig verloop van de strijd. De woedende keizer liet hen allen ter plaatse afslachten. Nadien vond Theodulus, de eerste bisschop van Wallis, het gruwelijke slagveld en zorgde alsnog voor een passend graf voor deze vroegchristelijke martela-ren. Hier tegen de rotswand werd al in de 4e eeuw het eerste kerkje ge-bouwd, twee eeuwen later gevolgd door de beroemde abdij.

bij elkaar. Bijzonder fraai gevormd zijn de deuren van de kerk en de doopkapel met mozaïekwerk. Het museum *Trésor de l'Abbaye* in de kerk tegen de rotswand herbergt kostbare religieuze voorwerpen, waaronder een onyx vaas uit de tweede eeuw voor Christus. Ook zijn er Merovingische en Byzantijnse voorwerpen en romaanse reliekschrijnen te bewonderen. De legende van Mauritius is in de glasramen afgebeeld (zie kader).

Bij *Évionnaz* ligt het *Labyrinthe Aventure*. Dit is een pretpark voor jonge kinderen met onder andere een zeer lange doolhof, aangelegd tussen duizenden thujabomen.

St-Pierre-de-Clages

Aan de oude straatweg door het Rhônedal ligt het compacte wijn- en antiekeboekendorpje St-Pierre-de-Clages met een oude herberg waar lekkere maaltijden worden geserveerd. Tegenover de herberg staat het mooiste romaanse kerkje van heel Wallis, in de 11e eeuw gebouwd door benedictijner monniken uit Lyon, naar voorbeeld van het klooster van Cluny. De achthoekige toren is uniek voor Zwitserland. In het noordelijke zijschip staat een fraai gerestaureerd houten beeld van St. Petrus. In de donkere kerk zijn verder resten van fresco's met swastika's (hakenkruisen) te zien, kleurrijk glas in lood en een bijzondere ronde zuil.

Turtmanntal

De beide dorpen **Unterems** (998 m) en **Oberems** (1341 m) zijn vanuit **Turtmann** goed met de gondelbaan te bereiken. Omdat het dal daar voorbij te smal is voor de grote bus, kan men vandaar met een belbusje verder het dal in (zie voor details wandeling 13, pag. 78). Wie zelf wil rijden, moet rekenen op een smalle weg met weinig uitwijkmogelijkheden. Het Turtmanntal is een spannend dal. Onderweg komt u door dichte bossen en langs diepe ravijnen en pas kort voor het tweelingdorp **Gruben/Meiden** (1822 m) verwijdt het dal zich tot een brede dalkom waarin de bruisende bergbeek Turtmänna zich slingerend een weg baant. Aan het eind prijkt de Weisshorn (4505 m) en glinstert de Turtmanngletsjer, het doel van wandeling 13.

Bij Vordere Sänntum, 2 1/2 km na Gruben/Meiden, houdt de weg op en is het dal alleen nog voor de bewoners toegankelijk. Daar kunt u parkeren langs de weg en ook de 2 uur en 30 minuten durende tocht naar de *Turtmannhütte* beginnen. Maar wie niet wil wandelen, kan links en

St-Maurice
Fort de Cindey,
half juli - eind aug.
dag. rondleidingen
om 10.30, 12.45,
14.30 en 16.15 uur
vanaf Grotte aux
Fées
volw. CHF 14,
kinderen CHF 7
Tel. 024 486 40 40
www.forteresse-st-maurice.ch

Trésor de l'Abbaye
juli-aug. di.-zo.
10.30, 14, 15.15 en
16.30 uur
volw. CHF 6,
kinderen CHF 3
Tel. 024 485 04 04
www.abbaye-stmaurice.ch

Labyrinthe Aventure
Evionnaz
half mrt. - eind nov.
dag. 10-18 uur
volw. CHF 16,
kinderen CHF 14
Tel. 027 766 40 10
www.labyrinthe.ch

Mauritiusdag
Laatste za. van sept.
processie met
monniken in feestelijke kledij.

rechts langs de beek grazige picknickplaatsen vinden met
schaduw en zon, schitterende planten en vergezichten.
De beekbedding zelf is verboden terrein omdat de Turtmänna, de gletsjerbeek van de Turtmanngletsjer, hogerop wordt gestuwd.

Ulrichen (1347 m) is een prachtig authentiek Walliser
dorp met donkerbruine houten huizen, schuren op stenen 'voeten' en moestuinen. Het voormalige vliegveldje
is nu in gebruik als *Rollerpark Obergoms*. Ulrichen ligt aan
de voet van het Äginental dat naar de hoogste pas van
Zwitserland leidt: de *Nufenenpas* (2478 m). Een goede
weg tussen lariksen en sparren door voert naar een landschap dat langzaam grimmiger wordt met kale stenen
en rotsblokken. Aan het eind schemert in het zuiden
de Griesgletsjer met de Griesstausee ervoor. Op de pas
staat een restaurant. Daarachter duikt de weg direct het
Italiaanssprekende Ticino in.

Val d'Hérémence Ten zuiden van Sion splitst een weg
zich bij Vex naar het Val d'Hérens en Val d'Hérémence.
Het mooiste gedeelte van Vex ligt aan weerszijden van
de splitsing van wegen. Even buiten Vex ligt de 11e-eeuw-
se gerestaureerde kerk. Het Val d'Hérémence is vooral
in trek om zijn grote stuwmeer *Grande Dixence* met zijn

In het Turtmanntal (MM)

imposante, 285 m hoge dam, de hoogste betonnen dam ter wereld.

U kunt bij de dam parkeren en een bezoek brengen aan de tentoonstellingsruimte met informatie over alle technische details van dit stuwmeer.

Wie de damwand van binnen wil zien, kan mee met een rondleiding door het binnenste ervan (u mag alleen mee als u warm gekleed bent). Het hotel is oorspronkelijk gebouwd als verblijf voor de arbeiders die aan de stuwdam werkten. Voor die arbeiders is ook de kapel St-Jean gebouwd.

Van het hotel gaat een kabelbaan naar de bovenkant van de stuwdam. Het meer kan tegenvallen, evenals het hotel; daarentegen is het zicht op gletsjers en bergen bijzonder indrukwekkend en geeft het kapelletje halverwege alles weer menselijke verhoudingen. Als uitgangspunt voor wandelingen is het heel geschikt, het eerste deel van het pad langs de westoever gaat hier en daar spannend dwars door het gebergte heen.

Het gebied rondom de dam is beschermd natuurgebied en het pad langs de westelijke oever is een 'alpenleerpad' met informatie over de planten die er groeien.

Val d'Hérémence
Grande Dixence
20 juni - 30 sept.
Tel. 027 328 43 11.

Val d'Illiez Dit gebied tussen Monthey en Champéry is landschappelijk zeer aantrekkelijk en houdt nog veel oude tradities levend. Boven de diepgelegen Vièze tekenen de

De Dents du Midi rijzen uit boven Champéry (MM)

zeven rafelige toppen van de *Dents du Midi* zich scherp af.
Het dal wordt afgesloten door voorboden van de Mont
Blanc: de Dents Blanches. **Troistorrents** (765 m) met zijn
slanke vierkante kerktoren is de eerste plaats. Verder in
het Val d'Illiez ligt het gelijknamige **Val d'Illiez** (948 m),
een kleine bronnenbadplaats met warme, enigszins radioactieve openluchtbaden. Van hieruit leidt rechtsaf een
weg naar de wintersportplaatsen **Les Crosets** (1668 m) en
Champoussin (1550 m), uitgangspunten voor wandelingen rond de pas Portes-du-Soleil op 1950 m. Ook de sportieve attractie *Point Sud* vindt u in Champoussin, waar
jonge Tarzans hoog in de dennebomen een origineel
jungleavontuur kunnen beleven.

Val de Nendaz Het stroomdal van de Printse is van
oudsher het dal waar de gegoede burgers van Sion naartoe trokken in de zomer. Op de hoger gelegen Mayens
de Sion zochten ze hun toevlucht tegen de hitte van
het Rhônedal. Nu is het als onderdeel van Les 4 Vallées
met Verbier vooral een wintersportdal, waardoor het
's zomers hier en daar iets onwezenlijks heeft, al blijft
het een schitterend wandelgebied. De weg het dal in
stijgt vrij snel boven het Rhônedal uit en biedt op diverse
punten een grandioos uitzicht op Sion met zijn twee
burchtheuvels.
Tegenover Veysonnaz aan de overkant van het dal van de
Printse ligt **Basse-Nendaz** (992 m), het oorspronkelijke
dorp. Daarboven ligt **Haute-Nendaz** (1252 m) met zijn 15e-
eeuwse Michaëlkapelletje. Hiervandaan vertrekt een
gondelbaan naar Lac de Tracouet (2000 m) op de hellingen van de Dent de Nendaz (2464 m). Dieper het Val Nendaz in ligt **Siviez**, voor het gemak vaak **Super-Nendaz** genoemd, ingeklemd tussen de Dent de Nendaz (2464 m)
en de Greppon Blanc (2713 m). Van Siviez gaat een stoeltjeslift naar de gletsjer van Tortin aan de ene kant en naar
Combatzeline aan de andere kant. Na deze plaats splitst
de weg zich. Een tak volgt de Printse en komt uit bij het
stuwmeertje Lac de Cleuson met daarachter de Mont
Fort (3329 m) en de Rosablanche (3336 m), van elkaar ge-
scheiden door de gletsjer Grand Désert. De andere tak
gaat naar Tortin (2039 m), op de hellingen van de Mont
Gelé (3023 m). De kabelbaan Tortin – Col de Chassoure
brengt een fraai wandelgebied binnen bereik en tevens
Verbier. Op de Mont Fort wordt gezomerskied; wie daar-

Elke week wordt er van alles georganiseerd, zoals excursies naar de Mont Fort en het boerendorp Isérables, maaltijd inbegrepen, of speciaal voor kinderen (5-12 jaar) een dagje uit naar de gletsjer, met een barbecue toe. Er is een parapenteschool, duovluchten behoren tot de mogelijkheden; ook kunt u inschrijven voor rafting, hydrospeed en canyoning.

Vercorin (1322 m) ligt op de zonnige hellingen hoog boven het Rhônedal. Vooral de omgeving van dit dorp is mooi en bosrijk en uitstekend geschikt voor wandelingen onder schaduwrijke, verkoelende omstandigheden. Wie liever onbelemmerd uitzicht heeft, kan met de kabelbaan naar de Crêt du Midi (2332 m) boven de boomgrens om daar te genieten van een schitterend uitzicht op de Berner Alpen.

Vernayaz Voordat u dit dorp (452 m) binnenrijdt, kunt u rechts van de weg een bezoek brengen aan de 65 m hoge waterval van Pissevache. Aan het eind van het dorp openen zich aan de rechterkant (kiosk en parkeerplaats) de *Gorges du Trient*. Plankieren ontsluiten 800 m klooflengte waarin het water alle geluiden overstemt. Daarboven overspant de hoogste brug van Europa de kloof. Het Trientdal is hier te steil voor wegen. Daarom is er een weg vanuit Martigny aangelegd die via deze Pont de Gueuroz naar het achterliggende Trientdal leidt.

Veysonnaz Ten zuiden van Sion, hoog boven het Rhônedal, ligt Veysonnaz (1233 m) Met zijn donkerbruine, houten huizen en schuren is het dorp tegen de wanden van de Mont Rouge (2491 m) aan gebouwd. Hierlangs lopen twee bisses: *Ancien bisse de Vex* en *Ancien bisse de Chervé*, irrigatiekanaaltjes die oorspronkelijk van belang waren voor de irrigatie van boomgaarden en akkers en nu een uitgelezen mogelijkheid bieden om langs te wandelen. Van Veysonnaz gaat een kabelbaan naar het wintersportoord **Thyon 2000/Les Collons**, gelegen in een mooie omgeving maar niet met de sfeer van een bergdorpje.

Visp (651 m) is de strategisch gelegen toegangspoort tot twee zeer bekende alpendalen: het Mattertal met Zermatt en de Matterhorn en het Saastal met Saas Fee. In de middeleeuwen was Visp een handelsknooppunt toen men via het Saastal en de Monte Moropas naar Italië ging. Voor de passant is Visp vaak alleen maar een rommelige industriestad. Wie echter de moeite neemt zijn auto te stallen in de parkeergarage bij het culturele centrum *La Poste*, waar ook de VVV is, en vandaar de stad inloopt, zal zien dat dit knooppunt van wegen een bezoek waard is. Achter de niet echt fraai gemoderniseerde Kaufplatz ligt het oude Visp met smalle middeleeuwse straten, oude hoge huizen en een goede sfeer. De Martinistrasse bijvoorbeeld was de straat waar alle verkeer naar Italië doorging, halverwege ligt de *Blaue Stein* (zie kader) en de oude herberg, die gerestaureerd is en nu fungeert als woonhuis. Aan het einde ligt tegenover het kerkhof het oude verdeelcentrum voor vrachten: de *Suste*. Hier werden de balen verdeeld, waarna men koers zette naar Milaan in Lombardije, of naar het Rhônedal. Eveneens hoger in de oude stad ligt de 18e-eeuwse *Burgerkirche* met romaanse toren en barok interieur. Ruimte ervaart u vooral op de Martiniplatz met de 17e-eeuwse Martinskirche, een markante fontein en het Burgener Haus.

Vissoie (1202 m) is de hoofdplaats van het Val d'Anniviers. Dichtbij het dorpsplein staat de woontoren uit de 14e eeuw van de bisschoppen van Sion, waarin nu het

Visp
Gemeinde-
verwaltung
St. Martiniplatz 1
Tel. 027 948 99 11
www.visp.ch

Pürumärt
Gezellige markt
elke vr. vanaf 16 uur.

Mannenmittwoch in Visp

In het oude centrum van Visp ligt halverwege de Martinistrasse de 'Blaue Stein'. Deze steen gedenkt de slag uit 1388 waarbij de Vispers voorgoed afrekenden met de Savoyaarden. De woensdag voor de kerst van 1388 legden zwaar bewapende Savoyards een beleg om de stad Visp en eisten dat de stad zich zou overgeven. De trotse Vispers bedachten echter een list: ze vroegen wat uitstel en stuurden eerst hun vrouwen en dochters met eten en drinken naar de belegeraars.

Intussen zetten ze de irrigatiekanalen achter Visp open en lieten het water van de hellende Martinistrasse naar beneden lopen. Omdat het hard vroor, werd de straat een spiegelgladde helling. De smeden van Visp maakten krammen voor onder de schoenen, zodat de Vispers zelf over het ijs konden lopen. Toen zetten ze de stadspoort open, als om zich over te geven. Op deze 'Mannenmittwoch' kwamen de Savoyards in volle wapenrusting de stad binnen en trokken op naar de Martinistrasse, waar ze werden opgewacht door de Vispers die ossenwagens met hooivorken aan de voorzijde hadden klaarstaan en zich bewapend hadden met zeisen, stenen en knuppels. Op de gladde helling hadden de Savoyards geen enkele kans; onderaan werden ze als het ware op een hoop geveegd en in de pan gehakt.

De mensenmassa op de Gornergrat (MM)

VVV-kantoor is gevestigd. In het dorp staat verder een aantal 16e-eeuwse huizen. In een daarvan is het *Musée des Patoisants* met gereedschap, kamer en oude keuken gevestigd.

Vanuit Vissoie is het bergdorpje *St-Luc* (1655 m; zie ook wandeling 11, pag. 74) te bereiken, met voor Wallis verrassend veel stenen huizen en watermolens. Boven het plaatsje uit rijst de Bella Tola (3025 m), een wat eenzaam aandoende piek.

De cabinebaan brengt u een eindje op weg en zet u bij Tignousa af in een schitterend wandelgebied. Daar begint onder andere de 6 km lange Planetenweg, een pad waarlangs de planeten op juiste afstand van elkaar zijn geplaatst. Op 2200 m hoogte staat het *Observatorium*, waar u ver in het heelal kunt kijken. Vanaf de hut Bella Tola vertrekken muildieren voor tochten door het gebergte. Na St-Luc gaat de weg verder naar een van de hoogst gelegen permanent bewoonde plaatsen van Europa: *Chandolin* (1936 m). Hier is het uitzicht op de toppen van meer dan 4000 m hoogte werkelijk fantastisch. Bovendien is het een prima uitvalsbasis voor wandelingen in de omgeving, waarbij de beklimming van de Illhorn (2716 m) een logische keuze is, 3 uur wandelen naar de top.

De stoeltjeslift Chandolin-Remointze (2468 m) gaat naar de Illsee (2788 m). Schaduwrijke wandelingen zijn er in de bossen rond het dorp te kust en te keur.

Vissoie
Musée des Patoisants
half juli - half aug., wo. en vr. 16.30-18.30 uur, of op afspraak met rondleiding
Tel. 027 475 13 38.

St-Luc
Observatorium
10 juli-20 aug. di.-zo. 11.15 en 13.15 uur, juli-okt. 14.15 uur
ook 3D-show
volw. CHF 8, kinderen CHF 6
Tel. 027 475 22 37
www.ofxb.ch

Zermatt Zermatt is autovrij, zodat iedereen er met de trein of lopend binnenkomt. De laatste plaats waar automobilisten hun auto kunnen achterlaten is Täsch (betaald parkeren), maar misschien is het leuker om de auto gratis in Visp te stallen en dan de trein te nemen. U krijgt veel korting met de *Erlebniscard* wanneer u gecombineerde trein-kabelkaartjes koopt, bijvoorbeeld naar de Gornergrat.

�֎ Tussen toppen van meer dan 4000 m hoogte en als het ware onder de **Matterhorn** (4478 m), is Zermatt (1620 m; zie ook wandeling 16, pagina 84) na de beklimming in 1865 van de Matterhorn door Whymper en zijn ploeg (zie kader) steeds verder uitgegroeid als vakantieplaats. Was er halverwege de 19e eeuw nauwelijks iemand te bekennen, nu biedt Zermatt reizigers alles, tot zomerskiën toe. Van het station loopt u zo het dorp binnen: rechts is de hoofdstraat met de VVV, tegenover het treinstation is het station van de *Gornergratbahn*. Via een levendige winkelstraat met chique zaken komt u in het oudste gedeelte van Zermatt, het *Hinter Dorf* met Walliser huizen en schuren. Dichtbij het stadhuis is het nieuwe *Matterhorn Museum*, met documentatie over de ontsluiting van de Walliser Alpen en over beroemde bergbeklimmers – zelfs het gebroken henneptouw van de

Zermatt
Tourismus Büro
Bahnhofplatz
Tel. 027 966 81 00
www.zermatt.ch

Matterhorn Museum
Bahnhofplatz 57
juni - half sept.
dag. 11-18 uur
volw. CHF 10,
kinderen tot 10 jr.
gratis,
tot 16 jr. CHF 5
Tel. 027 967 41 00
www.zermatt.ch/
matterhornmuseum

De Matterhorn bedwongen

In 1860 stuurde een Londense boekhandelaar de 20-jarige Edward Whymper naar Zwitserland met de opdracht tekeningen te maken van de hoogste Alpentoppen. Al gauw na aankomst in Zwitserland had Whymper, tot zijn wat snobistische verwondering, moeten erkennen dat je van berglucht niet ging braken en raakte hij in de ban van de toppen. Hij tekende daarna niet alleen de bergen en de fiere bergbeklimmers, zelf ging hij ook klimmen.

Op 13 juli 1865 vertrok hij voor de beklimming van de Matterhorn met een ploeg van zeven man: vier Engelsen (Whymper, Hudson die de Monte Rosa op zijn naam had, Douglas en de jonge onervaren Hadow) en de Zwitserse berggidsen Taugenwald met zijn zoon en Croz. Maar een Italiaans gezelschap was ook aan de beklimming begonnen. Op 14 juli, kort voor twee uur 's middags, klommen Whymper en Croz, over de 100 m lange Gipfelgrat, nog steeds benauwd dat de Italianen hen triomferend zouden opwachten. Daar bleek zijn angst ongegrond en Whymper had met zijn ploeg als eerste de 4478 m hoge Matterhorn bedwongen. Helaas werd het een Pyrrusoverwinning: op de terugweg gleed Hadow uit en trok Hudson, Douglas en Croz mee de diepte in. Het gebroken touw is te zien in het museum van Zermatt.

ploeg van Whymper. Verder bezit het museum gebruiks-voorwerpen, kaartwerk, mineralen en informatie over in-heemse planten en dieren. Dit alles is niet in vitrines uit-gestald, maar bevindt zich in de entourage van een nagebouwd 19e-eeuws dorp. In de buurt is ook het kerk-hof van de Engelse kerk, waar onder anderen Hudson ligt. Hij was de Engelse kapitein die als eerste de Monte Rosa beklom en omkwam nadat hij met Whymper de top van de Matterhorn had bereikt.

Drie schitterende wandelgebieden zijn met de tandrad-trein en kabel te bereiken: Sunegga – Unterrothorn (3103 m), Gornergrat – Stockhorn en Schwarzsee – Trockener Steg (2919 m, eventueel verder met de hoogste kabelbaan van Europa naar de Kleine Matterhorn met de Gletschergrotte). Echte bergwandelaars kunnen de *Matterhorn Tour* ondernemen: een 13-daagse hutten-tocht in dit berggebied bij uitstek.

✺ De *Gornergrat* (wandeling 16, pag. 84) is als een van de meest belovende bereikbaar per tandradtrein (2007: CHF 72,- retour).

Boven het hotel op de Gornergrat (3131 m) kijkt u werke-lijk in alle richtingen de witte bergwereld in. Aansluitend gaat er een zweefbaan van de Gornergrat naar Hohtälli en vandaar naar de Rote Nase (3407 m) of naar de Stock-horn. In de zomer gaat er een extra tandradtrein om 4 uur in de ochtend om de zon te zien opkomen boven de Gornergrat.

Zermatt
Gletscher Palast
ijsgrot bij berg-station Matterhorn
dag. gratis
Tel. 027 966 01 01.

Forest Fun Park
Sport en spanning
juni-okt.
dag. 9-19 uur,
volw. CHF 29,
kinderen CHF 16
Tel. 027 668 10 10
www.zermatt-fun.ch

Zermatt Festival
Kamermuziek en
masterclasses
sept.
Tel. 027 966 81 00
www.zermatt-festival.ch

FIG. 1

| Unterbäch 1221 m | Bürchen Zeneggen | 30 Min. 2 Std. |

FIG. 2

Pas d'Encel		1 h.
Cab. de Susanfe	🏠🔺	1 h. 45 min.
Lac de Susanfe	🏠🔺	4 h. 30 min.
Bonavau 1547 m

FIG. 3

Chemin pédestre

FIG. 4

Bordjes die u op uw wandelingen kunt tegenkomen

Wie bedient man sich

DAGTOCHTEN

Wallis is zeer aantrekkelijk voor wie van bergen, bloeiende alpenweiden, bossen, bruisende bergbeken en gletsjers houdt, maar ook van intieme dorpen en bezienswaardige steden. Dit hoofdstuk beschrijft eerst 17 bewegwijzerde wandelingen en 3 fietsroutes door de mooiste delen van Wallis, vaak aan het eind van de zijdalen, soms op een hoog plateau boven het Rhônedal. Het startpunt van iedere wandeling is met openbaar vervoer te bereiken. Gemiddeld nemen de wandelingen een halve dag in beslag, ze zijn echter gemakkelijk tot een hele dag uit te breiden. De aangegeven tijdsduur is een gemiddelde, waarbij de rusttijden niet zijn meegerekend. De zwaarte van de tocht wordt met +-jes aangegeven.

Bewegwijzering van de wandelingen

De gele wegwijzers geven wandelingen aan die door iedereen gelopen kunnen worden, de wit-rood-witte wegwijzers stellen meer eisen aan de conditie en uitrusting van de wandelaars. Soms gaan stukjes van de beschreven wandelingen over een dergelijke, wat zwaardere route.

Figuur 1: in het witte vakje is de plaats aangegeven waar men zich bevindt, met hoogteaanduiding, de gele pijl geeft wandeldoelen, benodigde tijd en richting aan.
Figuur 2: hetzelfde als figuur 1, maar de wit-rood-witte punt geeft aan dat er meer eisen gesteld worden aan de wandelaar.
Figuur 3: algemene aanduiding van gemakkelijk te wandelen routes.
Figuur 4: aanduiding voor zwaardere wandelroutes, meestal toegepast voor flinke bergtochten.

De drie fietsroutes door het Rhônedal zijn gemakkelijk te fietsen met toerfietsen. Onderweg liggen allerlei dorpen en bezienswaardigheden en uiteraard is het fietsen door een weergaloos berglandschap een bijzondere ervaring. De routes (2, 7 en 10) sluiten op elkaar aan en zijn in twee richtingen bewegwijzerd. Twee fietsroutes beginnen bij een treinstation waar countrybikes te huur zijn, die u eventueel bij een volgend station kunt inleveren (2007: CHF 38 per dag). U mag deze huurfietsen ook gratis meenemen in de trein.

Dagtocht 21 is een stadswandeling door Sion. Daarna volgt een spectaculaire treinreis van Martigny naar Chamonix aan de voet van de Mont Blanc. Ten slotte volgen 8 autotochten door karakteristieke delen van Wallis. Door de structuur van het landschap, de smalle dalen, zijn niet altijd rondritten mogelijk. De lengte van deze dagtochten is zo gekozen dat ze voldoende gelegenheid bieden om onderweg enkele bezienswaardigheden te bezoeken.

1 Meer van Genève

Karakter: Deze afwisselende wandeling volgt globaal de oever van het Meer van Genève vanaf de grens bij St-Gingolph tot Villeneuve. Na zo'n vier uur wandelen kunt u per veerboot terugkeren. Onderweg is er zo nu en dan uitzicht op het meer. Na passeren van het toeristisch drukke Le Bouveret voert de wandeling door het aantrekkelijke landschap van de Rhônedelta. **Markering:** Meestal met gele bordjes.

Wandelkaarten: Kümmerly & Frey Wanderkarte Lac Leman 1:60 000. **Horeca:** Onderweg alleen in Le Bouveret enkele restaurants. **Bereikbaarheid:** St-Gingolph heeft regelmatige trein- maar vooral busverbinding met Monthey of Martigny. Parkeren bij of in de buurt van het station. Voor de terugreis vanuit Villeneuve gaan er slechts enkele veerboten per dag (zomer 2007: 10.43, 13.03, 15.43 en 18.18 uur). Dienstregeling op www.cgn.ch.

Niveau
+ + +

Duur
4 uur

Lengte
14 km

De wandeling start achter het station van **St-Gingolph**, over een asfaltweg de helling op. Gele wandelbordjes wijzen u de weg naar Le Bouveret en Villeneuve, het eerste half uur stijgend, daarna alleen dalend of vlak. (Soms zult u alleen maar een gele markering zien, of 'Chemin pédestre'.) Na 10 minuten de asfaltweg verlaten en rechtsaf door bos. Weer 10 minuten later linksaf – nog even op asfalt tot aan de bocht – en dan verder rechtsaf over een prachtige schaduwrijke bosweg aan de voet van de Grammont. Volop essen en kastanjes, groene varens en mossen, maar ook vlinderstruiken en bloemen omlijsten dit pad. Soms hebt u uitzicht over het meer en onderweg is zeker de zwarte wouw te zien.

Volg na een halfuur het gele wandelbordje links: een bospaadje vol keien dat leidt naar een gehuchtje; hier linksaf, en tussen huizen door rechtsaf, ook al lijkt het privé-terrein. Via een smal pad langs de tuin komt u op

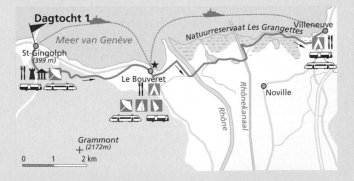

een kruising met een breed pad: hier linksaf en blijven afdalen tot aan de hoofdweg. Steek de hoofdweg en het spoor over, dan rechtsaf langs de oever van het meer. Nu bent u in **Le Bouveret**. Blijf nu dicht langs de oever en volg de gele bordjes richting 'Les Grangettes' en 'Villeneuve'.

✦ Na het passeren van het *Swiss Vapeur Parc*, een Zwitsers Madurodam met modeltreinen, en de toren van zwemparadijs *Aquaparc*, komt u bij de Rhônedijk, waar u rechts afslaat. Onderweg moet u beslist even bij de rivier gaan kijken, een machtige grijsgroene stroom.
U loopt tot de *passerelle*, een smalle brug, die u oversteekt. Nu loopt de route dwars door *Les Grangettes*, het echte natuurgebied van de Rhône-delta, moerassig en muggenrijk.

Neem het onverharde pad rechtdoor (het kan wat nat zijn). Zag u ooit zo veel maretakken als in dit populierenbos? Volg de markeringen en passeer de Vieux Rhône (ijsvogeldomein), het haventje en het kleine meer. Dan over de brug van het Grand Canal (Rhônekanaal) linksaf, de weg geheel uitlopen en dan rechtsaf langs de oever (drassig). U komt nog over een campingterrein, dan door hooiland en moerasbos met aangespoelde boomstammen en typische paardenstaarten (schaafstro).
Uiteindelijk bereikt u de hoofdweg in **Villeneuve**. Linksaf, nog 10 minuten lopen naar de aanlegsteiger van de veerboot.

🚲 2 West-Wallis: door het Rhônedal

Niveau
+ + +

Duur
4 uur 30 min

Lengte
52 km

Karakter: Gemakkelijke bewegwijzerde fietstocht van Montreux naar Martigny met weinig hoogteverschillen. U volgt de Rhône stroomopwaarts, aanvankelijk door het zeer brede dal met naar oost en west uitzicht op de bergtoppen. Er is veel fruitteelt onderweg, en langs de Rhône liggen enkele historische stadjes. Voorbij St-Maurice wordt het dal veel smaller.
Markering: Rode bordjes met 1.
Fietskaart: Kümmerly & Frey Velokarte Schweiz.

Horeca: Bijna overal in de plaatsen onderweg. Aan te bevelen is een lunch op een terras in de nauwe, autovrije Grand Rue van St-Maurice.
Bereikbaarheid: Treinverbinding tussen Martigny, Villeneuve en Montreux. Bij de treinstations van Montreux en Martigny kunt u van mei tot half oktober fietsen huren en bij hetzelfde of het andere station weer inleveren (CHF 31, resp. CHF 38 per dag, prijzen 2007; bespreken op www.rentabike.ch).

Deze fietstocht door het Rhônedal begint bij **Montreux** of **Villeneuve** aan het Meer van Genève. Montreux en Villeneuve zijn ook te bereiken met de veerboot vanaf allerlei plaatsen aan het meer; de fiets mag worden meegenomen.
Wie de fietstocht in Montreux start, kan na 3 km een bezoek brengen aan het imposante *Château de Chillon* langs de oever van het Meer van Genève.

Wanneer u geen huurfiets hebt maar een eigen fiets, kunt u eventueel de drukke kustweg tussen Montreux en Villeneuve vermijden en starten in Villeneuve (in 2007 kostte een dagkaart voor fietsvervoer per trein CHF 15). Vanaf Villeneuve gaat de route over minder drukke wegen door de Rhônevallei, eerst door *Les Grangettes*, een klein natuurgebied in de riviermonding van de Rhône (zie ook wandeling 1.). Als u eenmaal de Rhône bent overgestoken, fietst u naar het zuiden door het brede dal, steeds zo dicht mogelijk langs de rivier.

Voorbij **Monthey** gaat de route door de 'flessenhals' tussen **Massongex** en **St-Maurice**. Bij St-Maurice verengt het dal ineens sterk. Op die plaats heeft de Rhônegletsjer zich in de loop van duizenden jaren een weg dwars door het gesteente gesleepen. Op deze strategische plek staat dan ook het machtige kasteel van St-Maurice, met een mooie boogbrug over de rivier. In St-Maurice zelf lokken de romaanse abdij en de winkelstraat Grand Rue met terrasjes.
Na dit stadje blijft de route steeds dicht langs rivier in het minder brede Rhônedal. U fietst achtereenvolgens langs de plaatsen **Les Cases**, **Évionnaz**

en *Collonges*. In Évionnaz passeert u nog het *Labyrinthe Aventure*, een attractiepark voor jonge kinderen, met een enorme doolhof.

Bij *Dorénaz* steekt u de Rhône over naar de stad *Martigny* met zijn overdekte houten brug over de *Dranse* en daarnaast de strategisch hoog boven
het dal gelegen burcht *La Bâtiaz*. Vanaf deze gunstige plaats konden de
bewoners de Rhône zowel stroomopwaarts als stroomafwaarts in de
gaten houden.

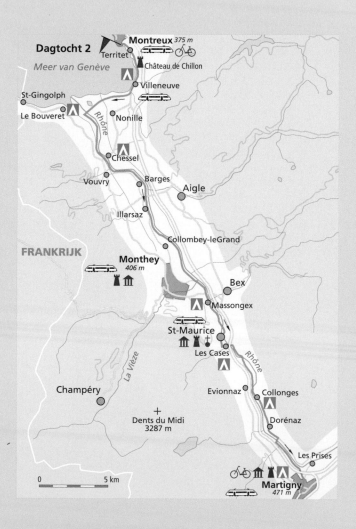

3 Plateau de Vérossaz

DE ROUTE IN HET KORT

Karakter: Vanuit het historische stadje St-Maurice aan de Rhône wandelt u naar het hoog gelegen plateau van Vérossaz. Een landelijke weg tussen de weilanden vormt daar de verbinding tussen enkele boerendorpen. De hoge toppen van de Dents-du-Midi met centraal de Cime de l'Est (3178 m) bepalen het uitzicht naar de zuidzijde. Na een afdalings langs de beboste helling passeert de route de Feeëngrot en het kasteel van St-Maurice. **Markering:** Routebordjes met het cijfer 2. **Wandelkaarten:** Swisstopo 1304, Val-d'Illiez 1:25.000. **Horeca:** Alleen aan begin en eind in St-Maurice. **Bereikbaarheid:** Treinstation St-Maurice. Daar is ook parkeergelegenheid.

Niveau
+ + +

Duur
3 uur

Hoogteverschil
530 m

Lengte
9 km

De wandeling begint bij het treinstation van **St-Maurice**. U volgt heel kort naar het westen de weg langs het spoor en nog voor de abdij gaat u linksaf onder een tunneltje door. De aanwijzingen Sous-le-Scex en daarna Vers Pré volgend komt u langs het kerkhof op de Route des Cases. **Les Cases** is een klein gehucht onderaan de bergwand. Tussen enkele huizen door komt u bij een houten brug over de **Torrent de Mauvoisin** en een wit bruisende waterval. Hier begint de klim langs de beboste helling naar het plateau. De smalle weg naar boven heet *Chemin de la Poya* en werd in vroeger eeuwen al gebruikt om het vee naar de bergweiden te drijven. Bovenaan ligt het gehucht **Bassays**, ook gespeld als Bassex. Het maakt

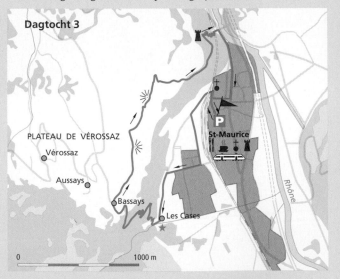

Dagtocht 3

PLATEAU DE VÉROSSAZ
Vérossaz
Aussays
Bassays
Les Cases
St-Maurice
P
Rhône

0   1000 m

Op het Plateau de Vérossaz (CE)

deel uit van de gemeente **Vérossaz** en bestaat uit enkele traditioneel gebouwde boerenhuizen. Een betonnen waterbak langs de weg biedt de mogelijkheid voor een verkoeling. Voor u aan de lichte afdaling tussen de huizen door begint, kunt u een bezoek brengen aan het *Originart Atelier* van *Tschupp* met kunstige voorbeelden van houtbewerking.

De route loopt nu over het plateau, aanvankelijk tussen kleine boomgaarden, later langs weilanden vol bloemen die door vlinders worden bezocht. Wie zich niet laat storen door de hoogspanningsleiding kan volop genieten van het landschap. Links liggen de bergen, met als meest markante de met sneeuw bedekte top van de **Cime de l'Est**. Naar rechts is er op sommige plaatsen een grandioos uitzicht op het brede Rhônedal. Wat tijdens een wandeling in de zomer vooral zal opvallen, is de rijkdom aan bloeiende planten langs de route. Verrassend is ook het uitzicht op het stadje Lavey en de bergtoppen erachter aan de overzijde van de Rhône.

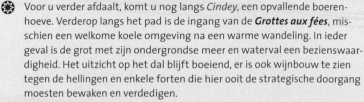 Voor u verder afdaalt, komt u nog langs *Cindey*, een opvallende boerenhoeve. Verderop langs het pad is de ingang van de **Grottes aux fées**, misschien een welkome koele omgeving na een warme wandeling. In ieder geval is de grot met zijn ondergrondse meer en waterval een bezienswaardigheid. Het uitzicht op het dal blijft boeiend, er is ook wijnbouw te zien tegen de hellingen en enkele forten die hier ooit de strategische doorgang moesten bewaken en verdedigen.

Dicht bij de weg door het Rhônedal staat het kasteel, dat vroeger diende om de brug over de rivier te bewaken, het is nu een museum met wisselende tentoonstellingen. U wandelt onder langs de rotswand terug naar St-Maurice. Als u aan het begin van de stad de rijweg oversteekt, loopt u door de gezellige autovrije *Grand Rue* weer richting station.

![4] Gletsjer en bisse van Trient

Karakter: Vanaf de parkeerplaats van Col de la Forclaz wandelt u langs een bisse of suone in de richting van de gletsjer. Het pad is in het eerste deel tamelijk vlak en meestal zijn er veel wandelaars. In het laatste gedeelte is er een stijgend pad door de met rotsblokken bezaaide alpenweide naar de voet van de gletsjer. Vlak bij de gletsjertong ligt de eindmorene, een massa onbegroeid puin. De wind is er kil en daarom kan het geen kwaad een jas of trui mee te nemen.

Markering: Rood-witte strepen, niet overal even duidelijk.

Wandelkaarten: Kompass Monte Bianco / Mont Blanc 1:50 000.

Horeca: Bij Châlet du Glacier, waar de klim naar de gletsjer begint.

Bereikbaarheid: Bus vanuit Martigny, 08.45, 09.45 en 13.45 uur (2007).

Niveau	+ + +
Duur	2 uur 45 min
Hoogteverschil	190 m
Lengte	7,5 km

De weg vanuit **Martigny** in het warme Rhônedal stijgt eerst door wijngaarden naar een scherpe bocht met een parkeerplaats, waar het uitzicht over Wallis met het Rhônedal en het Dransedal onvergetelijk is. Hogerop zijn de hellingen overdekt met bos, waarin onder andere goudenregen als wilde plant voorkomt. Uiteindelijk stijgt de weg tot 1530 m hoogte, de Col de la Forclaz. Hier op dit hoogste punt is het een komen en gaan van wandelaars, zwoegende fietsers en gemotoriseerde vakantiegangers. Zwarte koeien grazen in de met bloemen bezaaide alpenweiden; de vechtende koeien van het Eringerras.

✻ Bij de parkeerplaats van **Col de la Forclaz** staan veel bordjes met wandeldoelen. U kiest de richting van *Châlet du Glacier*. Het water dat direct langs het pad in een goot stroomt is een 'bisse', een irrigatiekanaaltje dat is afgetakt van de gletsjerrivier. Doordat het water met een klein verval langs de helling stroomt, beschikt men ook op de hooggelegen Col de la Forclaz over vers water. Het eerste traject van de wandeling is daarom ook tamelijk vlak. Tussen de sparren, bloeiende wilgenroosjes en zo hier en daar een Turkse lelie klinkt de krassende geheimzinnige roep van de notenkrakers.

Vlak voor het bruggetje over de **Trient** gaat het pad naar de gletsjer linksaf. Daar staat ook het Châlet du Glacier, een uitspanning waar velen wat gebruiken en van het mooie zicht genieten. Maar het is ook een heerlijk plekje om op de oever te zitten vlak naast de bruisende rivier.

Het Châlet du Glacier ligt niet veel hoger dan de Col; op 1583 m hoogte en op 50 minuten wandelafstand. Hier kiest u eerst richting Arpette, dan volgt u een rode pijl en de rood-witte markering en is het nog ongeveer een halfuurtje stijgen naar de gletsjer zelf. Dicht bij de gletsjer stort de rivier zich wild door een ruige bedding, omzoomd door rotsblokken en versierd met alpenbloemen als blauwe monnikskap en parnassia. U komt tot dicht bij de ijzige gletsjertong, die heerlijke koelte geeft op warme zomerse dagen.

Het is geen straf om dit boeiende landschap dezelfde weg terug te lopen. Wie zich door de bus op de Col de la Forclaz heeft laten afzetten, kan echter na het bezoek aan de gletsjer bij het Châlet du Glacier ook de brug oversteken en langs de andere helling afdalen naar het diep in het dal gelegen dorpje **Trient** (circa 1 uur). Bij Trient Poste vertrekken bussen naar Martigny (via de Col de la Forclaz).

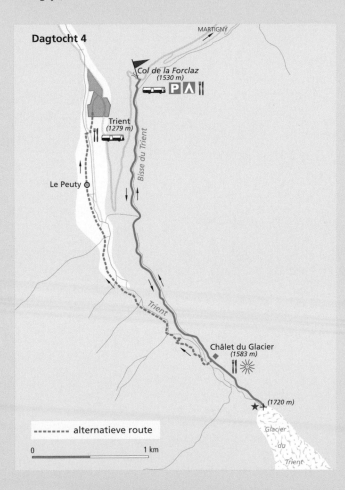

⬤ 5 Val Ferret

DE ROUTE IN HET KORT

Karakter: Deze wandeling volgt de hier en daar woest naar beneden stromende Dranse de Ferret in het overigens rustige dal. Het decor van gladgepolijste rotswanden en woeste natuur is op deze tocht adembenemend. Het geleidelijk afdalende pad vraagt weinig inspanning. Het kan echter wel ongelijk, stenig en soms nat zijn, daarom is stevig schoeisel wel aan te bevelen.

Markering: Gele wandelbordjes met einddoel en tussendoelen. **Horeca:** Onderweg kleine restaurants in Praz-de-Fort, Prayon en La Fouly. **Bereikbaarheid:** Vanuit Orsières gaat een bus naar Ferret (2007: 6.45, 7.46, 9.00, 11.34, 14.05, 16.30 en 18.05 uur). Issert heeft een busverbinding met Orsières (2007: 7.36, 8.38. 10.40, 13.13, 15.53, 17.53 en 18.58 uur).

Niveau
+ + +

Duur
3 uur 30 min

Hoogteverschil
650 m

Lengte
15 km

De Italianen, die tegen de zonkant van dit hooggebergte aankijken, noemen het gebied 'Gran Paradiso'. De Zwitsers zijn wat minder lyrisch, maar ook hun kant is beslist een hooggebergteparadijs, ingeklemd tussen Mont Blanc en Grand-St-Bernard. En het Val Ferret is nog een van de rustigste dalen ook, ongeschikt als het is voor massale wintersport.
Het dal klimt aan het eind tot aan de pas op 2537 m, de Col du Grand Ferret, op de grens met Italië. Het 'verlengde' Italiaanse dal heet eveneens Val Ferret. De naam Ferret is afgeleid van fer, ijzer, want vroeger werd in beide dalen veel ijzer gewonnen. Naar deze Col klimmen is ook mogelijk, mooi uitzicht natuurlijk, maar het kost heel wat energie en tijd. Bovendien staan de Italianen u op teenslippers op te wachten, want zij beschikken wél over een kabelbaan naar de pas.

De bus rijdt door het dal tot eindhalte *Ferret*, een kleine nederzetting op 1705 m. Het wandelpad daalt alleen nog maar, begeleid door de bergrivier *Dranse de Ferret*. Ver weg van het verkeer hebt u alle gelegenheid om kennis te maken met de mooiste alpenbloemen, steenbokken, gemzen en alpenmarmotten.

De eerste plaats onderweg is *La Fouly* (1593 m), belangrijkste verblijfplaats van dit dal; daar is bijvoorbeeld ook een camping gelegen met uitzicht op de gletsjer die tussen de hoge bergtorens uitkomt.
De directe omgeving van de gletsjer is niet ongevaarlijk, want er willen 's zomers nog wel eens *séracs*, ijsblokken, neerstorten van de gletsjer op de kam van de *Mont Dolent*.
Kleine gehuchtjes als *La Seilox*, *Prayon*, *Branche d'en Haut* en *Branche d'en Bas* markeren het vervolg van de weg. *Praz-de-Fort* (1151 m), met zijn brug over de Dranse, is weer een grotere plaats met enkele mooie houten huizen. In Saleina bij Praz-de-Fort is een streekmuseum.

Nu is het nog maar een klein stukje verder naar **Issert** (1055 m), met zijn donkere houten hooischuren en de bezienswaardige molen. Dit is het eindpunt van de tocht, waar u de bus kunt nemen naar Orsières. Is het nog vroeg, dan kunt u ook doorlopen naar **Champex-Lac**, dat is wel ruim 400 m stijgen en anderhalf uur extra.

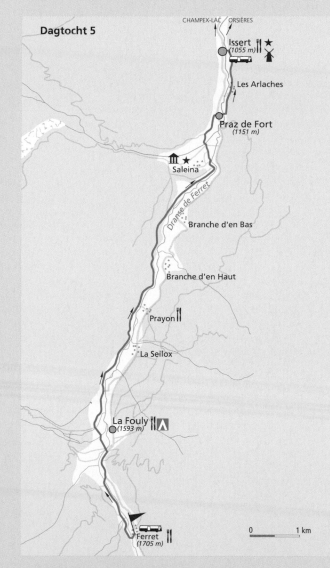

⚪ 6 Grand-St-Bernard

Karakter: Een adembenemend landschap vormt het decor van deze wandeling over een weg met een bijzondere historie. Deze oude pas, waaraan Sint Bernard zijn naam gaf, was in de Romeinse tijd al de doorgangsroute voor de legioenen, maar de Napoleontische legers maakten er evengoed gebruik van. De afdaling van begin- naar eindpunt kan door het grote hoogteverschil zwaar zijn voor ongeoefende wandelaars.
Markering: Bordjes met 'Chemin historique du Grand-St-Bernard', soms onduidelijk.

Wandelkaart: Routebeschrijving bij VVV Martigny en Bourg-St-Pierre of op de Col.
Horeca: Alleen op de Col en in Bourg-St-Pierre.
Bereikbaarheid: Vanuit Martigny om 08.45 (2007) met de bus, overstappen in Bosses. Of bus vanuit Orsières (2007: 09.00, 12.00 en 14.05 uur). Terug met bus van Bourg-St-Pierre naar Orsières (2007: 11.06, 13.30, 16.45 en 17.40 uur). Parkeren in Bourg-St-Pierre en bus naar de Col.

Niveau
+ + +

Duur
4 uur

Hoogteverschil
840 m

Lengte
7,5 km

✳ Het startpunt van deze tocht is het hospitium op de *Col du Grand-St-Bernard* (2469 m), waar de heilige Bernard van Menthon rond 1000 een klooster stichtte. De pas vormt ook de grens met Italië. Vanaf het hospitium daalt u af door de hoge vallei *Combe des Morts* naar *La Pierre* (2039 m), een alpenweide met een kapel.

Het hoogteverschil van de wandeling is groot: afdalen van 2496 m (Col) naar Bourg St-Pierre (1632 m) is voor niet-geoefenden zeker een zware kluif en een belasting voor de knieën. Maar het is een fraaie tocht, zowel landschappelijk als cultuurhistorisch. Nu is hij bewegwijzerd als *Chemin historique du Grand-St-Bernard*.

De tocht begint met een forse (dalende) etappe door boomloos hooggebergte. Er staan verspreide struiken van jeneverbes, alpenrozen en arven op de hellingen naast de *Dranse*, die de weg naar beneden wijst. De alpenflora is hier 's zomers uitbundig: de oranjegele arnicabloemen, vederdistels met hun bleekgroene toppen, witte pluizen van het wollegras en teerwitte parnassiabloemen op natte plekken. De apollovlinder met zijn rode vleugelvlekken vliegt hier van bloem tot bloem.

Het voetpad valt niet samen met de autoweg, maar gaat langs in onbruik geraakte wegen als de 'Chemin historique', die de rivier Dranse d'Entremont wat trouwer volgen. Bij *Bourg-St-Bernard* wandelt u op enige afstand langs de tunnelingang naar een stuwmeer, het *Lac des Toules* (1730 m), afgesloten door de Barrage St-Bernard. Lager passeert u de brug van Karel de Grote, en loopt u de plaats *Bourg-St-Pierre* (1632 m) binnen.

In de kerkhofmuur vlak naast de 11e-eeuwse kerk zit een Romeinse mijl-steen ingemetseld, die langs de pasweg stond ten tijde van Constantijn de Grote.
In Bourg-St-Pierre kunt u de bus nemen naar Orsières, of verder afdalen naar het bergdorp Liddes (1346 m) – u wandelt dan langs de kapel van Lorette (1610 m) en Palasui – en daar de bus oppikken.

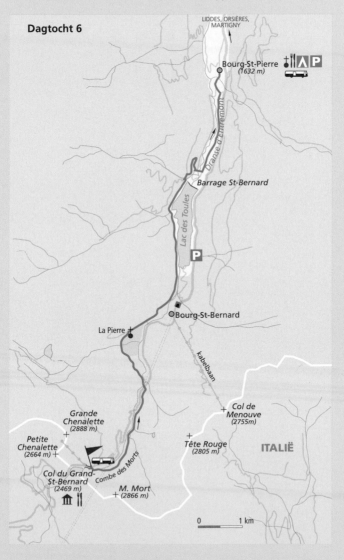

Dagtocht 6

🚲 7 Midden-Wallis

Karakter: Op deze gemakkelijke, goed bewegwijzerde fietsroute door het brede Rhônedal volgt u de rivier stroomopwaarts in oostelijke richting. Over de hele lengte is het hoogteverschil slechts 100 m. Links en rechts liggen de bergtoppen en diverse keren steekt u de smallere zijrivieren over, die vanuit de bergen naar de Rhône stromen. In het vruchtbare dal zijn akkers, veel boomgaarden en er is wijnbouw. **Markering:** Rode bordjes met cijfer 1.

Fietskaart: Kümmerly & Frey Velokarte Schweiz
Horeca: In de meeste plaatsen onderweg. Heel aantrekkelijk zijn de terrassen in het centrum van Sion.
Bereikbaarheid: Treinverbinding tussen Sierre en Martigny. Bij het treinstation van Martigny kunt u van mei tot half oktober fietsen huren en bij hetzelfde of een ander station weer inleveren (CHF 31, resp. CHF 38 per dag, prijzen 2007; bespreken op www.rentabike.ch).

Niveau
+ + +
Duur
4 uur 30 min
Lengte
52 km

Deze fietstocht is een deel van een bewegwijzerde route door het gehele Rhônedal en sluit aan op de fietstochten 2 en 11 in deze gids. De route loopt over fietspaden van dorp naar dorp.

Het startpunt is **Martigny** met zijn mooie platanenlaan met terrassen in het centrum. In Martigny steekt de route de Rhône over naar Les Prises (3 km). U kunt langs de Rhône rijden (variant **A**) of de dorpenroute rijden (variant **B**): Les Prises – Fully – Mazembroz – Saillon – Leytron – St-Pierre-de-Clages.
Saillon met zijn markante ronde toren heeft zijn oorspronkelijke karakter grotendeels behouden en is een van de best bewaard gebleven historische plaatsen in heel Zwitserland. Het stadje ligt net als de andere plaatsen in deze omgeving midden tussen de boomgaarden met appels, peren, abrikozen. Ook is er wijnbouw in de omgeving. Bij **Leytron** kunt u eventueel een zijstapje maken om het Rhônedal van bovenaf te zien: afslaan naar **Riddes** tot voorbij het centrum; hier de fiets parkeren en met de kabelbaan omhoog naar **Isérables**, een mooi oud boerendorp met een interessant streekmuseum.

St-Pierre-de-Clages mag u niet voorbijgaan zonder er even in te rijden en het bekoorlijke romaanse kerkje te bekijken. Dan moet u de Rhône weer oversteken, waarna de tocht verder gaat naar de burchtheuvels van Sion. Deze zijn gemakkelijk vanuit het centrum van **Sion** te beklimmen en leveren een weidse blik op het Rhônedal (zie de stadswandeling, beschreven in dagtocht 21). Het park met bijzondere bomen bij de *Place de la Planta* is een aangename plek voor een rustpauze.

De route gaat aan de zuidzijde van de Rhône verder door de wijnvelden via
Pont du Rhône, waar u even de Rhône kunt oversteken om in
St-Léonard een tochtje te maken op het grootste onderaardse meer van
Europa (*Lac souterrain*).
U fietst vervolgens langs **Granges** en **Chalais** met hun houten boeren-
woningen naar **Chippis** en **Sierre**, dat ook weer een aantrekkelijk centrum
bezit. Het kasteelmuseum *Château de Villa* in Sierre vertelt over de kunst
van het wijn maken.

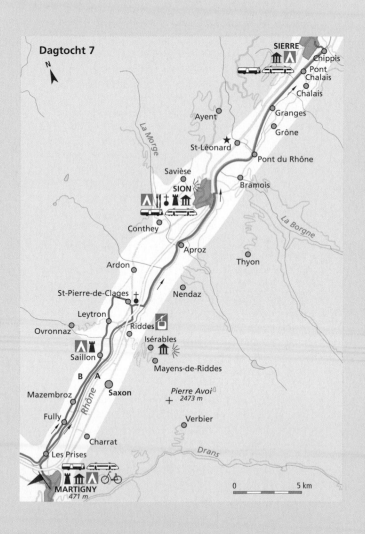

8 Les Diablerets

Karakter: Een wandeling om volop te genieten van het alpenlandschap in al zijn variaties. Het heldere water van de bergstromen, het stille oppervlak van een bergmeer, de ruige begroeiing van het oerbos, de wonderlijke rijkdom van de alpenflora, de geweldige uitzichten, het is allemaal te beleven op deze tocht door het 'Duivelsgebergte'.
Het traject tussen het bergdorp Derborence en de Pas de Cheville vraagt enige inspanning.
Markering: Gele wandelbordjes naar de tussendoelen.
Wandelkaart: Kümmerly & Frey Wanderkarte Grand-St-Bernard –

Dents du Midi – Val de Bagnes – Les Diablerets 1:60 000.
Horeca: Restaurants in Derborence en in Godey (iets buiten de route).
Bereikbaarheid: Vanuit Sion twee maal per dag via Aven (overstappen) een busverbinding met Derborence (2007: 09.40 en 14, terug: 12.10 en 16.30 uur). In Derborence zijn diverse parkeerterreinen, maar de weg ernaartoe is af en toe zo smal dat passeren onmogelijk is. De afgrond naast de weg, waar ergens in de diepte de Lizerne stroomt, is zeer indrukwekkend.

Niveau
+ + +

Duur
4 uur

Hoogteverschil
540 m

Lengte
9,5 km

Duivelsgebergte – *Les Diablerets* – wordt het gebergte genoemd dat het einde van het dal van Derborence vormt en op de grens ligt tussen Berner Oberland en Wallis.

Volgens de legende raakten hier in 1749 duivels van Berner Oberland slaags met de duivels van Wallis. Ze bestookten elkaar met alles wat los en vast zat, luid begeleid door bliksem en donder. De slag werd gewonnen door de Berner duivels die in hun wilde vechtlust van alles het Walliser dal in gooiden en rolden. Rotsblokken bedolven huizen, hutten, mensen en vee, het lawaai was tot in Sion te horen.

Toen het gerommel stil was gevallen en het stof opgetrokken, zagen de Wallisers het resultaat: een desolaat landschap en een afgedamde bergbeek, die langzaam veranderde in een meertje. Inmiddels is op de puinhopen van de bergstorting die aan deze legende ten grondslag ligt, een nieuw bos gegroeid.

Het is een vrijwel ondoordringbaar oerbos van fijn- en zilversparren en beuken met hier en daar open bosweitjes, waar orchideeën als het venusschoentje bloeien. Al zo'n 250 jaar is er geen boom gekapt en de bomen die omvallen, blijven gewoon liggen en bieden zo nieuwe mogelijkheden voor jonge bomen en andere planten.

Het bos is opgenomen in het beschermde natuurgebied van **Derborence**, dat 152 km² groot is. Omdat het natuurgebied zo moeilijk toegankelijk is, hebben gemzen, alpenmarmotten, dassen, vossen en marters er een goed onderkomen gevonden, terwijl ook de notenkraker van zich laat horen en de oehoe overdag op alpenmarmotten jaagt.

Van het einde van de weg naar **Liapey** loopt het pad zuidelijk van het **Meer van Derborence** naar de *Auberge au Lac*. Het loopt door de onderrand van het oerbos L'Écorcha en geeft een goede indruk van de ruigheid ervan (40 min.).

Bij de Auberge (1449 m) in Derborence begint het pad naar de **Pas de Cheville**. Het is een duidelijk pad dat in circa 2 uur naar de pas (2038 m) leidt. Eerst gaat het onder de lariksen door omhoog, die na Pénes (1660 m) uit het landschap verdwijnen. Op de Pas de Cheville krijgt u een schitterend uitzicht over het dal van Derborence en de bergwereld van de zuidelijke Alpen.

De weg gaat over hetzelfde pad terug (circa 1 uur) naar de *Auberge*, maar nu is duidelijk te zien wat de omvang van de bergstortingen is geweest en hoe ver de rotsblokken terecht zijn gekomen. Bij de Auberge gaat linksaf het pad richting Liapey (30 min.) en Godey (restaurant).
Onder aan de helling met het 'nieuwe' oerbos liggen kleine meertjes met oevers waar u heerlijk kunt picknicken en pootjebaden. Op de overgang van water naar drogere stukjes zitten vaak honderden vlinders, waaronder aardbeivlinders, water te drinken.

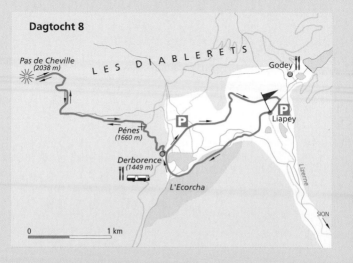

9 Val d'Arolla

Karakter: Deze route betekent een afdaling vanuit Arolla naar Les Haudères, dat meer dan 500 m lager ligt.
Het pad is niet altijd even gemakkelijk, er moet soms geklauterd worden langs en over rotsblokken. Maar ook passeert u de mooiste alpenweiden met een zee van bloemen. U ziet en hoort het stromen van frisse bergbeken en vrijwel overal is er naar oost en west uitzicht op indrukwekkende bergtoppen.

Markering: Wit-rood-wit met verwijzingen naar tussendoelen.
Wandelkaart: Geocenter SAW, Arolla Val de Bagnes Val d' Hérens 1:50 000.
Horeca: Alleen in de dorpen aan begin en einde van de tocht.
Bereikbaarheid: Bus vanuit Sion naar Arolla, overstappen in Les Haudères (2007: 6.50, 8.40, 10.25, 12.45, 16.00 en 16.55 uur. Terug vanuit Les Haudères: 10.40, 12.40, 13.40, 15.30, 16.50, 17.50 en 18.35 uur).

Niveau	+ + +
Duur	3 uur 15 min
Hoogteverschil	550 m
Lengte	11 km

Arolla ligt in een schitterende bergwereld met rondom de toppen van de Mont Collon (3637 m), de Pigne d'Arolla (3801 m) en de Aiguilles Rouges d'Arolla (3605 m), die alle bovenin bekleed zijn met uitgestrekte gletsjers. Vroeger was Arolla het hoogst gelegen zomerweidegebied van het Val d'Hérens, maar sinds de ontwikkeling van het alpinisme zijn er steeds meer woningen en hotels gebouwd en nu gaat er een asfaltweg heen. Arolla is bij plantenliefhebbers bekend om zijn zeldzame arven, de schitterende knoestige alpendennen die vrijwel als enige bomen het leven in de buurt van de gletsjers volhouden. Ze zijn te herkennen aan hun bundeltjes van vijf stugge naalden.

In Arolla volgt u het bordje 'Lac Bleu 1 h 30' (wit-rood-wit) en boven Arollla bij Centre Alpin Arolla (vakantiekolonie) het bordje 'Lac Bleu', door een bos met lariksen en arven. Wit-rood-wit gaat vanaf hier tot La Gouille samen met twee rode, gekruiste hamertjes (geologische route). Na het bos volgen schitterende alpenweiden en vergezichten. Het pad klimt en daalt over grote rotsblokken en is hier en daar gezekerd. Na een houten brug over een gletsjerbeek is het nog 10 minuten lopen naar het blauwgroene *Lac Bleu de Louché*. Hier vindt u zeker een geschikte picknickplaats.

Bij Lac Bleu volgt u het bordje 'La Gouille 30 min.', eerst langs een gehuchtje waar kaas en verse melk wordt verkocht en daarna afdalend tot het begin van *La Gouille* (bushalte aan de asfaltweg). Hier kiest u de richting 'Mayens de la Coûte', omhoog tot het volgende gehucht, daar langs de bron rechtdoor en rechtsaf door weiden over een karrenspoor. De asfaltweg oversteken en het bordje 'Les Haudères' (wit-rood-wit) volgen.

U passeert de kapel *St-Barthelemy*, die in 1688 werd gebouwd. Het pad daalt stevig en maakt goed duidelijk dat een diepe kloof lange tijd Arolla vrijwel onbereikbaar maakte. Bij Les Haudères loopt u op gelijke hoogte met de beek het mooie dorp binnen. Misschien is er nog energie voor een bezoek aan het museumpje *Centre de geologie*, van waaruit ook geologische wandelingen worden georganiseerd ('s zomers open van 15-18 uur).

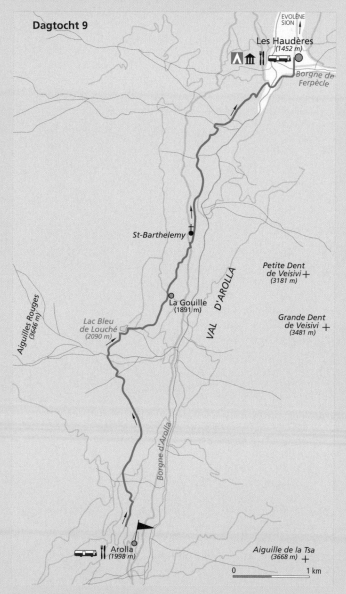

🚲10 Oost-Wallis

Karakter: Een gemakkelijke, bewegwijzerde fietstocht zonder al te veel hoogteverschil, stroomopwaarts langs de Rhône. Het traject is een deel van de fietsroute door het Rhônedal en sluit aan op fietstocht 7 in deze gids. Deze tocht gaat weliswaar hoofdzakelijk over oude wegen en fietspaden van dorp naar dorp, maar op enkele gedeelten wordt de hoofdweg gevolgd, waar ook veel autoverkeer kan zijn. De route volgt de Rhône stroomopwaarts.
Markering: Rode bordjes met het cijfer 1.

Fietskaart: Kümmerly & Frey Velokarte Schweiz
Horeca: Bijna overal in de plaatsen onderweg. Aan te bevelen is de koffie bij Konditorei Joseph Schwarz in de Bahnhofstrasse van Visp.
Bereikbaarheid: Treinverbinding tussen Sierre en Martigny. Bij het treinstation van Sierre kunt u van mei tot half oktober fietsen huren. U kunt deze bij hetzelfde of een ander station weer inleveren (CHF 31, resp. CHF 38 per dag, prijzen 2007; bespreken op www.rentabike.ch).

Niveau
+ + +
Duur
3 uur 30 min
Lengte
43 km

De route begint in *Sierre* aan de zuidzijde van de Rhône en op het eerste deel tot Susten fietst u op de vrij drukke weg waar ook auto's rijden. Een alternatief is een pad door de wijngaarden via Salgesch, maar daarvoor moet u wel enkele keren flink klimmen. Een andere mogelijkheid is de fietstocht pas in Susten te beginnen.

Wie toch de gemarkeerde route fietst, komt bij Salgesch langs het beschermde *Pfynwald*. Dit traject biedt tevens de mogelijkheid een bewegwijzerde wandeling te maken door het Pfynwald (*Bois de Finges*, zie de beschrijving van het Pfynwald op pag. 31).
Deze wandeling begint op het parkeerterrein aan de linkerhand, 100 m na het oversteken van de Rhônebrug voorbij Sierre en camping *Bois de Finges*. Op deze camping kunt u inlichtingen krijgen over het bos en ook is hier de routebeschrijving te koop.

Vanaf *Susten*, met de plaats *Leuk* aan de overzijde van de rivier, loopt de route aan de noordzijde van de Rhône.
Gampel-Steg ligt aan de toegangsweg tot het intrigerende Lötschental (zie ook wandeling 15). Boven *Raron* uit torent het witte kerkje en de toren, en in *Visp* vraagt de oude binnenstad achter de centraal gelegen Kaufplatz om een bezoek.

In *Brigerbad* kunt u in het zwembad even afkoelen, en *Naters* – even voor Brig – heeft een mooie oude kern en een bijzonder knekelhuis. In *Brig* is

✱ het *Stockalperpalast* zeker een bezoek waard, er zijn ook rondleidingen. Zie voor Naters en Brig ook de informatie in het hoofdstuk Plaatsen en wandeling 18.

Wie de smaak te pakken heeft, kan ook een stuk Rhôneroute fietsen in Goms, ten noordoosten van Brig. Het is bijvoorbeeld mogelijk bij het station in Oberwald fietsen te huren en dan langs prachtige dorpen naar Brig te fietsen. Op dat traject komen overigens wel heel wat meer hellingen voor.

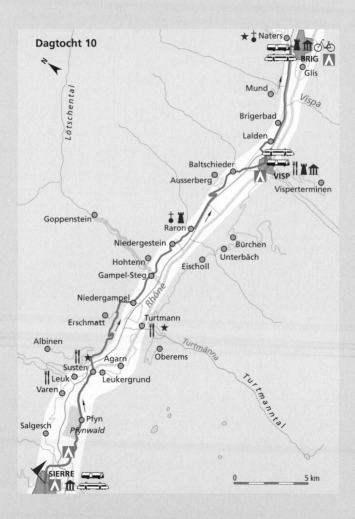

🔵 11 Val d'Anniviers

Karakter: Een tocht door een boeiend landschap in het dal dat ooit ontstaan is door een zich terugtrekkende gletsjer. Kenmerkend zijn de herinneringen aan de agrarische traditie van het gebied. U passeert kleine boerendorpjes. Langs de route, bijvoorbeeld tussen Grimentz en Ayer staan tussen de bloemrijke hooilanden kleine hooischuurtjes. Het pad is niet overal gemakkelijk, soms moet er flink geklommen worden, maar dat wordt beloond met geweldige uitzichten.

Markering: Gele en rood-witte bordjes verwijzen naar tussendoelen.

Wandelkaart: Kümmerly & Frey Val d'Anniviers 1:60 000.

Horeca: Onderweg alleen in het dorpje Ayer.

Bereikbaarheid: Bus van Sierre naar Grimentz (2007: 7.50, 9.40, 11.18, 12.40, 15.30 en 17.20 uur), terug met bus vanuit St-Luc (2007: 9.57, 11.21, 12.37, 15.25, 17.23 en 18.55 uur). Overstappen in Vissoie.

Niveau	+ + +
Duur	4 uur
Hoogteverschil	360 m
Lengte	13,5 km

Vierhonderd meter boven het Rhônedal ligt de ingang van het *Val d'Anniviers*. In de laatste ijstijd lag in dit dal een geweldige gletsjer die uitstroomde in de Rhônegletsjer, die het hele huidige Rhônedal vulde. Na het afsmelten van het ijs bleef een 400 m hoge trap over. Lange tijd was het dal nauwelijks toegankelijk. De bewoners leefden geïsoleerd en ontwikkelden een dialect waarin tal van oorspronkelijk Latijnse uitdrukkingen voortleven. De naam Anniviers komt van het Latijnse 'anni viatores', dat 'jaarrondreizigers' betekent. De bewoners trokken met de jaargetijden mee naar de zomerweiden op de berghellingen of naar de dorpen in de vlakte, waar ze onder andere aardappels en rogge verbouwden.

Het startpunt van deze wandeling is *Grimentz* (1570 m) maar het is beslist de moeite waard om eerst even door dit (autovrije) dorp te lopen, met zijn smalle straten en stevige houten huizen vol bloemen.

In Grimentz gaat het pad naar beneden naar *Pont de Mission* (1261 m) en weer omhoog naar *Ayer*, dat boven de rechteroever van de *Navisence* ligt (1465 m). Ayer is ook weer zo'n echt Walliser dorp, met prachtige larikshouten huizen en schuren op grote ronde stenen. Bij een enkele schuur leidt een trap, uitgehakt in één stuk larikshout, naar de eerste of tweede verdieping. Het pad naar St-Luc gaat dwars door dit oude gedeelte en begint naast *Hôtel Post* aan de doorgaande weg.
Vervolgens gaat het pad door weiden en bossen, langs waterloopjes en stijgt daarbij steeds hoger boven het dal uit. Aan de overkant ligt Grimentz en het Val de Moiry, in de diepte *Mission*, en even verder komt *Vissoie* in zicht, dat gunstig gelegen is op een grote moreneheuvel.

Na de almhutten van *Gillou* (1823 m) steekt het dalende pad bij *Le Prilett* (1692 m) de *Torrent-des-Moulins* over, een bergbeek die in vroeger tijden de raderen van de molens van St-Luc liet draaien. Die tijd is voorbij, maar 's zomers worden er vanuit Ayer en St-Luc excursies met rondleiding naar deze inmiddels gerestaureerde molens georganiseerd ('s middags geopend, alleen op woensdag, zaterdag en zondag).

Dan is het nog maar een klein stukje door voormalige rogge- en aardappelvelden naar het dorp *St-Luc*. De kern van St-Luc telt ook weer een aantal oude houten huizen. Daarnaast staan hier nogal wat stenen huizen, die gebouwd werden nadat delen van het dorp in de 19e eeuw tot tweemaal toe door brand in de as werden gelegd.

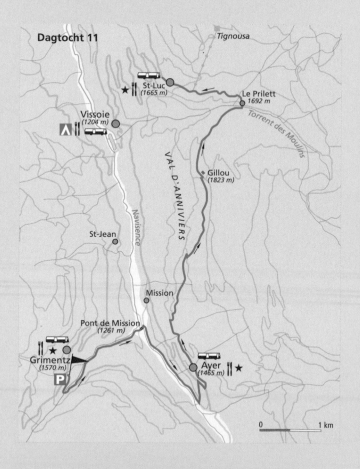

12 Bissen en wijngaarden

Karakter: Wijnhellingen en wijndorpen bepalen het karakter van deze wandeling. De paden lopen voor een groot deel langs de suonen, de smalle irrigatiekanaaltjes die zorgen voor het bevloeien van de wijngaarden. Het pad langs de suonen is gemakkelijk, maar soms moet er even flink geklommen worden om een ander niveau te bereiken.

Markering: Gele en wit-rood-witte routebordjes naar tussendoelen.

Wandelkaart: MPA Sierre-Leuk 1:25.000.

Horeca: Onderweg alleen in Varen.

Bereikbaarheid: Bus van Sierre naar Miège (2007: 9.40, 11.40, 12.36, 13.40, 15.28 en 16.30 uur). Terug per trein vanuit Leuk, twee maal per uur naar Sierre.

Niveau
+ + +
Duur
3 uur 30 min
Hoogteverschil
340 m
Lengte
12 km

Langs de noordzijde van het Rhônedal liggen uitgestrekte wijnvelden. Om deze van het nodige water te voorzien, zijn in een ver verleden de *bissen* aangelegd, in het Duits *Suonen*, die van hoger gelegen bergbeken water aftappen dat via een even ingenieus als elementair systeem naar de lager gelegen hellingen wordt gebracht. Soms werden er ware kunststukjes uitgehaald voor de aanleg van zo'n kanaal, soms ook gaan ze mooi geleidelijk over de helling naar beneden, zoals de bissen van deze wandeling.

De route begint in **Miège** waar u naast de kerk in het centrum het straatje omhoog (*Riverains autorisées*) neemt. Daarbij steeds zo veel mogelijk de helling oplopen (volg de gele ruiten van de *Chemin pédestre*). Een voorrangsweg oversteken en schuin linksaf tot de T-kruising bij de drinkbak. Daar rechts aanhouden en over de asfaltweg langs het houten kruis (1996)

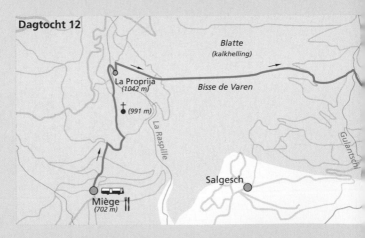

Dagtocht 12

Blatte
(kalkhelling)

La Proprija
(1042 m)

Bisse de Varen

† (991 m)

La Raspille

Gulantschi

Salgesch

Miège
(702 m)

door wijngaarden tot aan de overgang met bos en struikgewas. Hier staat een bordje *'Cordona 50 min.'* en *'Bisse de Varone 2 h'* (Varen = Varone). Volg hier rechtsaf de steenslagweg langs de bovenrand van de wijngaarden. Na korte tijd is er een splitsing bij een groot rotsblok, hier linksaf omhoog richting bos. In het bos bij de eerste splitsing (na 100 m) rechtsaf, na enkele honderden meters weer een splitsing, nu linksaf. Nu gaat de steenslagweg vrij steil omhoog door dennenbos.

Bij het waterbassin loopt u nog enkele tientallen meters door. Dan gaat u links via een klein trapje van houten paaltjes. U komt langs een bisse en volgt deze tot het bruggetje. Steek de brug over, volg de houten pijl met *'Chapelle'* en ga het pad verder de helling op, vrij steil over een kale rug met mooi uitzicht, dan verderop weer houten pijlen rechtsaf volgen. Nu loopt u door dennenbos hoog boven de ruisende beek. U passeert de kapel *Ste. Margaretha* en komt dan bij een klein parkeerplaatsje bij de beek. Even rechts, bordje *'La Propija'*, dan links (markering volgen). Nu nog circa vijf minuten stijgen door een holle weg tot de bordjes met **La Propija 1042 m**. Hier rechtsaf langs de schaduwrijke bisse richting *'Gulantschi 0 h 40'* en het dorp *'Varen 1 h 25'*.

Tussen de bomen door hebt u prachtig zicht op het Pfynwald, het bosgebied dat hier het Rhônedal vult (zie dagtocht 11). Zowel de kalkhelling Blatte, waar deze wandeling over gaat, als de ondergrond van het Pfynwald zijn het resultaat van een geweldige bergstorting die in de laatste ijstijd plaatsvond op de Varneralp. Na het passeren van de **Gulantschi** volgt de afdaling naar het wijndorp Varen (bordje *'Varen-Dorf'*). Vanaf Varen volgt u het laatste deel van de wijnroute van Martigny naar Leuk. U volgt daarvoor het bordje *'Leuk Rebenweg 0 h 40'* en daalt tussen de wijngaarden door naar de **Dalaschlucht** die u met een brug met poort oversteekt. Vervolgens wandelt u omhoog naar **Leuk**.

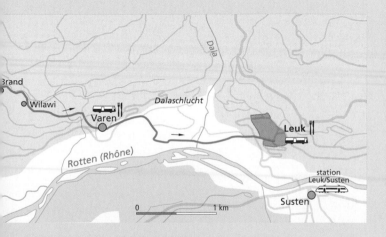

🔵 13 Turtmanntal

Karakter: Een lange wandeling door een bijzonder mooi en beschermd natuurgebied. Vanuit Gruben volgt u de loop van de Turtmänna stroomopwaarts tot aan de 700 m hoger gelegen Turtmannshütte. De Turtmänna is een beek die u tijdens de wandeling enkele keren oversteekt. Vanaf het stuwmeer tot aan de berghut gaat de route over een stijl en stenig bergpad.

Markering: Gele routebordjes naar de tussendoelen.

Wandelkaart: Tour Augstbordhorn (Uitg. van Walliser Wanderwege) 1-25.000. Tot Holustei!

Horeca: Turtmannhütte, ook overnachtingen (reserveren!).

Bereikbaarheid: Van Turtmann gaat tweemaal per uur een (soms onbemande) zweefbaan naar Unterems en Oberems. Of naar Oberems rijden, bij kabelstation (betaald) parkeren en per minibus naar Gruben. (2007: half juni - half sept. 8.30, 10.30, 13.30 (alleen zon- en feestdagen) en 17.30 uur. Terug: 9, 11, 14 (alleen zon- en feestdagen) en 18 uur.) De bussen sluiten aan op de kabelbanen. Of met de auto naar Gruben, maar de weg is smal met weinig uitwijkmogelijkheden.

Niveau
+ + +

Duur
5 uur 30 min

Hoogteverschil
700 m

Lengte
16 km

Lange tijd was het **Turtmanntal** vrijwel afgesloten van de buitenwereld, alleen 's zomers gingen herders met hun kuddes naar de hooggelegen zomerweiden. Oude gebruiken herinneren nog aan deze levenswijze. Zo is de 14e augustus gewijd aan de armen. Uit Turtmann, Leuk en Raron in het Rhônedal, komen de mensen hier samen en wonen in de kapel van Gruben-Meiden uit 1708 de vroegmis bij. Daarna gaan ze in processie door de weiden, knielen voor het daar opgerichte kruis en spreken een gebed uit, waarna ze kaas uitgedeeld krijgen. Dit gebruik moet het vee behoeden voor ziekten en beschermen tegen adders. Inmiddels zijn de zomerse onderkomens van de herders uitgebreid met vakantiehuizen en hotels, maar in het geheel van dit fraaie dal vallen deze nederzettingen nauwelijks op. De beek door het dal maakt bij Gruben prachtige slingers en de weiden staan vol kleurige bloemen. *Let wel op:* de beek wordt hoger in het dal gestuwd en de bedding zelf is dus verboden terrein. Op de hellingen groeien arven en lariksen, die druk bezocht worden door notenkrakers en kruisbekken. Het Turtmanntal is vanaf een stuk vóór Gruben tot hoog in de bergen beschermd gebied. In de bossen leven gemzen die wat groter zijn dan hun soortgenoten in het hooggebergte.

Deze wandeling begint in **Gruben** (1822 m), waar u de **Turtmänna** oversteekt om het pad te nemen langs de oever van de beek naar **Blüomatt**. Daar staat voor een huis een *Bildstock* met een mooie, ingetogen Christusfiguur die zijn armen langs zijn lichaam houdt. Oorspronkelijk was het dan ook een beeld voor de graflegging van Christus. Een bruggetje leidt naar de andere oever. Daar gaat u rechtsaf tot waar de asfaltweg ophoudt

(bordje Vordere Sänntum, 40 min.). Even vóór het bruggetje over de Turtmänna gaat een bospad naar de Turtmannhütte via *Holustei* (2222 m) en
boven het stuwmeer langs. De *Turtmannhütte* (2518 m), vrijwel aan de
voet van de schitterend witte Turtmanngletsjer, biedt een programma
van activiteiten, waaronder bergbeklimmen en gletsjerwandelingen (zie
www.turtmannhuette.ch). Terug wandelt u langs de andere oever van het
stuwmeer over een breder pad naar Vordere Sänntum en dan verder naar
het uitgangspunt Gruben.

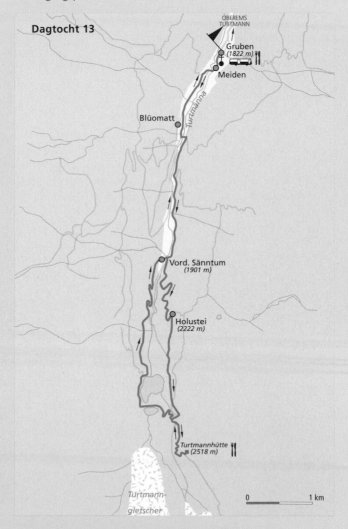

🔴 14 Birkenlehrpfad Bürchen

Karakter: De route loopt door een hoog boven de Rhône gelegen golvend landschap met kleine dorpen die samen de gemeente Bürchen vormen. Het dorp dankt zijn naam aan de berken, maar het zijn niet alleen deze bomen die een wandeling langs het Birkenlehrpfad aantrekkelijk maken. Het zijn zeker ook de vele bloemen die 's zomers bloeien langs de soms smalle paden en die volop door vlinders worden bezocht. Op tien informatieborden langs de route is van alles te lezen over de berken.

Markering: Bordjes met het opschrift 'Birkenlehrpfad'.

Wandelkaart: Walliser Wanderwege, Tour Augstbordhorn 1:25.000, of routekaartje bij VVV.

Horeca: Restaurants in Zenhäusern, Mauracker en Hasel.

Bereikbaarheid: Bus vanuit Visp (2007: 8.12, 9.12, 10.12, 11.49, 13.12, 14.12, 16.45, 17,12 uur). Parkeren in Zenhäusern.

Niveau	
+ + +	
Duur	
2 uur	
Hoogteverschil	
170 m	
Lengte	
6 km	

De route begint in **Zenhäusern** (1444 m) bij de neogotische Mariakapel uit 1905. Het eerste routebordje volgend komt u uit tegenover restaurant *Alpenrösli* op de Panoramaweg. Na een korte klim is er uitzicht op het Rhônedal. Langs het smalle pad ziet u al enkele fraaie berken. Maar het is de moeite waard ook op de rijkdom aan bloemen te letten. Geel en wit walstro groeit langs het pad, net als de rapunsel, de ratelaar en de bergklaver. De informatieborden langs de route zijn genummerd. Het vierde paneel staat dicht bij een kleine plas in een drassige omgeving. Vroeger was dit een natuurlijk waterreservoir voor de bevloeiing van het land. De moeras-

Langs het Birkenlehrpfad (CE)

Dagtocht 14

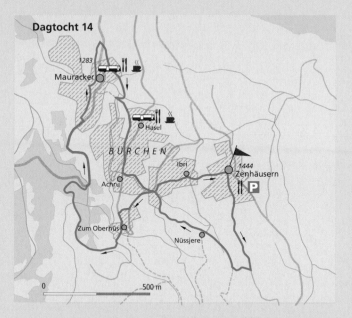

spirea met zijn witte pluimen en het wilgenroosje bloeien er in de zomer. Na het gehucht **Nässjere** gaat de route tussen de weiden door richting '*Schigarten*' en dan over de verharde weg naar **Zum Oberhüs**. Daar is een mooi gerestaureerd Walliser huis te zien uit 1611, dat vroeger als bakhuis dienstdeed. Voorbij het sportveld in Zum Oberhüs gaat het dan richting '*Roosse*' door een mooi stuk loofbos, met tussendoor uitzicht op de gehuchten die samen Bürchen vormen.

Even over de hoofdweg richting **Bürchen** en voorbij restaurant *Bellevue* linksaf. U passeert enkele oude schuren; om de speciale constructie van de balken wordt één daarvan de *Heidenstadel* genoemd. Zo zouden de heidenen vroeger gebouwd hebben.

Mauracker heeft een aardig dorpsplein en een 18e-eeuwse kapel in barokstijl, met op het dak een klokkentorentje.

De route gaat na Mauracker even in noordelijke richting en dan na een houten brug over een beek scherp rechtsaf naar de verkeersweg met een wegwijzer richting '*Obscha*'. Bij het gehucht **Hasel** staat een moderne achthoekige kerk, gebouwd in 1963.

Verderop richting **Achru** staat langs de route het tiende en laatste informatiebord. Verder wandelend richting Zehhäusern komt u nog langs de *Ibrichkapel*.

Bij **Ibri** steekt u de verkeersweg over en dan loopt u tussen de huizen en boerderijen door terug naar het vertrekpunt.

🔵 15 Lötschental

Karakter: Waar de enige verharde weg door het mooie Lötschental ophoudt, begint deze wandeling naar de voet van de gletsjer die de oorsprong is van de Lonza. U ziet hoe het water van deze rivier zich tussen reusachtige rotsblokken door een weg zoekt naar het dal. Voorbij een klein bergmeer loopt u langs hellingen die begroeid zijn met bloeiende arnica en alpenklaver. In augustus zijn de bessen van de berendruif, bosbes en rijsbes rijp.

Markering: Gele bordjes naar tussendoelen.
Wandelkaart: Kümmerly & Frey, Aletsch, Lötschental, Goms 1:60.000.
Horeca: Restaurants aan het begin van de tocht, Fafleralp.
Bereikbaarheid: Met eigen auto naar parking bij Fafleralp, dagkaart CHF 5 (2007), of elk uur vanaf station Gampel-Steg (2007: 7.31, 8.31, enz.). Terug elk uur vanaf 10.30 (2007).

Niveau
+ + +
Duur
3 uur
Hoogteverschil
320 m
Lengte
8 km

❈ Grimmige houten maskers bepalen het beeld van het *Lötschental*, dit afgelegen dal ten noorden van de Rhône (zie ook pagina 24). Toch is het dal het tegendeel van grimmig. Wie 's zomers bij Ferden dit lange hooggebergtedal inkijkt, ziet een bijna lieflijk landschap met aan het eind hoge toppen en gletsjers. De enige weg door dit dal volgt de wilde bergbeek *Lonza* en eindigt bij de parkeerplaats van de Fafleralp, met kiosk en toilet. Daar begint deze rondwandeling naar de 'Gletschertor', de 'poort' in de Langgletsjer waaruit de Lonza ontspringt.

Van de parkeerplaats op de *Fafleralp* (1795 m) wandelt u 200 m stroomopwaarts naar *Gletscherstafel* met enkele boerenhuizen die in de zomer bewoond zijn. Op een van de woningen staat breeduit geschreven 'Willst

Dagtocht 15

Maskers op een gevel in het Lötschental (MM)

Du die Allmacht Gottes sehen, musst Du in die Berge gehen.' Bij Gletscher-tafel gaat u de brug over de Lonza over en slaat linksaf richting *Grundsee* (1842 m, 20 min.), een klein bergmeer met glashelder water.

Vóór de Grundsee het links afbuigende pad aanhouden en de Lonza stroomopwaarts vervolgen tot een brug over de Lonza circa 700 m vóór de gletsjertong en de *Gletschertor*. De gletsjer trekt zich nog steeds terug, waardoor ook de 'poort' zich van jaar tot jaar verplaatst. Enige afstand bewaren tot de gletsjertong en 'poort' is dan ook verstandig, want onver-wacht kunnen stukken ijs afbreken of stenen losraken.

U gaat de brug over voor een niet al te moeilijke klim naar de *Anunbach-brücke* (2108 m) en steekt deze over. Dan begint de terugweg via *Guggisee* en *Guggistafel* voor een groot deel over bosrijke hellingen naar Fafleralp (circa 1 uur 15 min.).

In het Lötschental hoort u tijdens wandelingen vaak het hoge gefluit van alpenmarmotten, maar om ze in het vizier te krijgen is een tweede. Veel gemakkelijker laten de alpenkauwen en de raven zich zien. Hoog op de berghellingen grazen gemzen en boven de toppen zweven steenarenden, speurend naar een lekkere alpenmarmot.

Naast deze route zijn er in het Lötschental vele andere mooie wandel-tochten te maken. Voorbeelden zijn de Höhenweg Lauchernalp – Fafleralp (circa 2 uur 30 min.; vrij gemakkelijk, want u hoeft maar weinig te stijgen of te dalen) en Lauchernalp – Lötschenpas (circa 2 uur 30 min.).

16 Gornergrat

Karakter: Een wandeling op hoog niveau met mooie verge- zichten en uitzicht op de Matter- horn. De tocht is vooral aan te bevelen bij helder weer! Op deze hoogte kan het ook hartje zomer nog wel eens sneeuwen, dus het is zeker verstandig warme kle- ding en regenkleding mee te nemen.
Markering: Gele routebordjes naar tussendoelen.

Wandelkaart: Kümmerly & Frey, Zermatt – Saas Fee 1:60.000.
Horeca: Bij bergstation Gorner- grat, bij Hotel Riffelberg en bij Riffelalp.
Bereikbaarheid: Zermatt is auto- vrij. Parkeren in Visp (vrij) of Täsch (betaald) en dan met de trein. Vanuit Zermatt vertrekt de Gornergratbahn (retour in 2007: CH 72).

Niveau
+ + +
Duur
3 uur 30 min
Hoogteverschil
900 m
Lengte
7,5 km

Wie voor het eerst naar **Zermatt** gaat, zal bij het verlaten van het station even overdonderd worden door de massaliteit van dit uit zijn voegen gegroeide dorp met zijn hotels, restaurants, winkels, kabelbanen en wandelwegen en zal verrast zijn door de straten met hun drukke verkeer van bestelwagentjes die op elektriciteit rijden en van ouderwetse paar- denkoetsen. De echte trekpleister van Zermatt is ongetwijfeld de door Whymper in 1865 met een ploeg van zeven man bedwongen Matterhorn (zie kader op pagina 51), hét symbool van Zwitserland. Een wandeling moet dan ook op zijn minst zicht bieden op deze markante 4478 m hoge top.

✳ In Zermatt (1620 m) benut u de tandradtrein van de Gornergratbahn naar de **Gornergrat** (3130 m). Na aankomst klimt u eerst even naar het terras bij het observatorium: hier is het zicht op het Monte Rosamassief met al zijn gletsjers en de Matterhorn adembenemend. De Gornergrat is een echte topper, dus wemelt het terras bij mooi weer van de toeristen. De alpen- kauwen met hun gele snavels bedelen hier op de muurtjes om brood en kaas.

Nog hoger ligt het ongekend fraaie panorama van de **Stockhorn** (3405 m), vanaf de Gornergrat bereikbaar met de kabelbaan. Vanaf het station Gornergrat volgt u het bordje 'Rotenboden 30 min.', een druk belopen dalend pad met geweldig uitzicht en veel mooie rotsplanten. Vanaf het tussenstation Rotenboden (2815 m) daalt u verder en volgt u de borden 'Riffelberg 1 uur' (niet de kortere route).

Nu wordt de drukte minder. U passeert de **Riffelsee**, waarin de Matterhorn zich spiegelt – vanuit de juiste hoek en met het juiste wolkenloze, wind- stille weer. Deze langere route daalt met een flinke lus door het dalletje achter de Riffelsee, waar alpenmarmotten huizen. U blijft zicht houden op de Matterhorn. Circa een uur later komt u op de door merkwaardige schapen begraasde alpenwei waar bij een kapel en hotel-restaurant **Riffelberg** uitzicht is over Zermatt en het Mattertal. Dit is een tussenstation van de Gornergratbahn, net als het volgende doel, Riffelalp.

Het laatste stuk duurt circa anderhalf uur en voert vanuit het boomloze gebied tussen alpenroosjes door tot onder de boomgrens van arven en lariksen. Hier staan de mooiste alpenbloemen in juli al in volle bloei, zoals de zwarte vanilleorchis, die sterk naar vanille ruikt.

In **Riffelalp** (2222 m) vindt u weer horecagelegenheden. Hier kunt u ook opstappen voor de terugtocht naar Zermatt. Alleen lopers met zeer sterke knieën gaan op eigen kracht door voor de laatste daling van 600 m naar Zermatt.

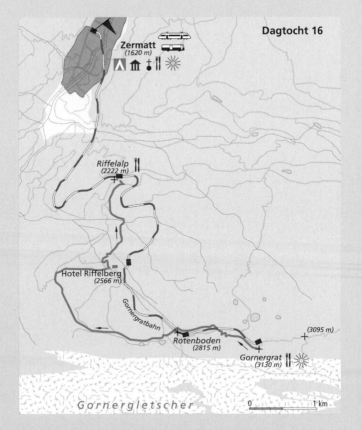

🔲 17 Gletsjer en alpenmarmotten

Karakter: In het decor van een overweldigend landschap voert deze betrekkelijk gemakkelijke route van het ene bergstation naar het andere. De gletsjer ziet u vooral aan het begin van de tocht. Onderweg is, zoals de titel al aangeeft, een ontmoeting met alpenmarmotten bijna gegarandeerd.

Markering: Gele en zwart-gele routebordjes naar tussendoelen.

Wandelkaart: Kümmerly & Frey, Zermatt – Saas Fee 1:60.000.

Horeca: Bij de bergstations en halverwege bij Restaurant Gletschergrotte.

Bereikbaarheid: Vanaf trein-station Brig en vanaf Visp-Post circa één maal per uur een bus naar Saas Fee, terug idem (duur circa 1 uur). Parkeerterreinen en -garages (betaald) aan het begin van het autovrije Saas Fee.

Niveau	
+ + +	
Duur	
3 uur	
Hoogteverschil	
450 m	
Lengte	
9 km	

Op oude foto's ligt *Saas Fee* als een klein gehucht met kerk te midden van een barre bergwereld. Van alle kanten proberen de gletsjers het dorp te bereiken en hoog boven het dorp prijken grimmig de bergen van meer dan 4000 m hoogte.
Bij de huizen liggen moestuinen voor het leven van alledag en op de weiden grazen koeien, schapen en muildieren. Om wat bij te verdienen kapt men stukken uit het gletsjerijs en sjouwt die in manden op de rug naar slagers, die er hun vlees mee koelen. De winters worden gebruikt om houten meubelen te maken, die veelal voorzien worden van prachtig houtsnijwerk.

De verandering begon in 1833, toen het dorp al bezocht werd door toeristen. Deze bewogen zich echter nog niet voort op ski's. Die manier van vervoer werd pas in 1849 'ontdekt' door pastoor J. Imseng uit Saas Fee, die zich op zelfgemaakte planken van Saas Fee naar Saas Grund liet glijden en daarmee de eerste skiër van Zwitserland werd.
Wie nu Saas Fee binnenkomt, ziet een druk toeristendorp met allerhande voorzieningen. Toch is een wandeling door Saas Fee nog steeds aantrekkelijk, evenals een tocht door de bergen.

Vanaf het busstation volgt u de bordjes '*Längfluh*' naar het dalstation van de Längfluh-Spielbodenbahn. Bij het restaurant van het bergstation is marmottenvoer te koop, voor de meestal overvoerde marmotten.
✳ Van het bergstation *Spielboden* (2450 m) loopt het pad naar beneden over de *Gletscheralp* naar het restaurant *Gletschergrotte* (2000 m).
Op dit gedeelte van de wandeling ziet u vrijwel zeker alpenmarmotten, die hier zo tam zijn dat ze zich zelfs laten voeren. Let op: voer ze alleen met appels of wortelen, alle andere voedingsmiddelen komen u op CHF 500,- boete te staan.

Restaurant Gletschergrotte serveert lekkere Walliser specialiteiten en een keus uit verschillende koffiesoorten. Hier was ooit een gletsjergrot uitgehakt, totdat de gletsjer zich in 1965 te ver had teruggetrokken. Na de eventuele koffie volgt u het bordje '*Hannigalp 1 h 55*'. Het pad gaat over rotsblokken door een lariksbos naar beneden richting **Gletschersee**. Daar volgt u de zwart-gele markeringen de morenerand over en over de brug naar de morenewand aan de overzijde. Als u omhoog kijkt, ziet u hier de **Dom**, met zijn 4545 m de hoogste, geheel Zwitserse berg. U loopt de morenewand schuin op en volgt bovenaan het bordje 'Hannigalp'.

Wie liever eerder naar Saas Fee wil, kan 5 minuten voorbij het bord 'Hannigalp' de helling afdalen en door een bergwei in 30 minuten terugwandelen naar Saas Fee.

Deze wandeling gaat echter verder naar de **Hannigalp** door een indrukwekkend berglandschap met vierduizenders rondom. Uitrusten kunt u daar op het dikwijls zonnige panoramaterras van het restaurant.
Let op: vanaf Hannig vertrekt de laatste dalvaart naar Saas Fee om circa 16.30 uur!

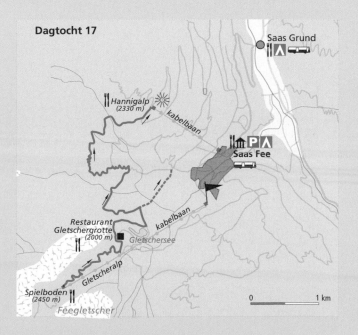

Dagtocht 17

Saas Grund

Hannigalp
(2330 m)

kabelbaan

Saas Fee

Restaurant
Gletschergrotte
(2000 m)

Gletschersee

kabelbaan

Gletscheralp

Spielboden
(2450 m)

Féegletscher

0   1 km

🖌 18 Saffraan en Schwarzhalsziegen

Karakter: Dit is een tamelijk vlakke route aan de noordzijde van de Rhône, die hier in het Duitstalige Wallis Rotten genoemd wordt.
In de tweelingstad Brig/Naters, aan beide zijden van de rivier, is nog veel verkeer, maar daarna wandelt u over hoofdzakelijk rustige landwegen langs enkele boerendorpen naar het eindpunt in Mund.

Markering: Gele bordjes naar tussendoelen.
Wandelkaart: Kümmerly & Frey, Rund um Visp 1:40.000.
Horeca: In Naters, Birgisch (restaurant Birgische, ma. gesloten) en Mund (rest. Safran).
Bereikbaarheid: Treinstation in Brig. Daar ook (betaald) parkeren. Terug bus uit Mund (2007: 9.30, 12.05, 12.55, 13.47, 15.30, 17.30, 18.30 uur).

Niveau
+ + +
Duur
2 uur 30 min
Hoogteverschil
500 m
Lengte
7 km

Saffraanteelt in Wallis? Een gewas dat ons zo doet denken aan de subtropen verwacht je niet in Wallis. Toch wordt dit gewas geteeld in Mund, ten noorden van Brig. In het najaar kleuren enkele hellingen daar paars van de bloeiende saffraankrokussen en worden de lange oranjegele meeldraden geoogst. In topjaren wel 1 kg, waarvoor dan 130.000 bloemen nodig zijn, die ieder drie meeldraden leveren! Ze worden onder andere gebruikt om rijst en brood te kruiden en te kleuren. De enkele restaurants van Mund serveren het hele jaar door een rijstgerecht met saffraan.

De wandeling begint bij het station van **Brig** (zie pag. 12), eigenlijk een plaats waar vroeger de Rhône vrij stroomde. Nu loopt de rivier in zijn nauwe bed tussen Brig en het hoger gelegen Naters, dat tot de 17e eeuw de

Het knekelhuis in Naters (MM)

hoofdstad was van Oberwallis. Van het station van Brig (678 m) de Bahn-hofstrasse volgen naar **Naters**, dat direct aan de overzijde van de Rhône ligt. De hoofdweg (Furkastrasse) door het dorp is druk, die neemt u dan ook niet, maar u loopt rechtdoor naar de Belalpstrasse. Halverwege slaat u links af naar de kerk in het centrum.

Naters heeft een mooi oud centrum met houten huizen en een kerk met een beschilderde romaanse toren. Achter de kerk ligt het Beinhaus uit 1514, dat u beslist niet moet overslaan, in het donker verscholen staat achter een traliehek met kaarsjes ervoor een 'muur' van meer dan 1000 schedels met hier en daar losse beenderen ertussen. Deze schedels werden zo keurig opgestapeld toen in de 16e eeuw de graven van een te klein geworden kerkhof werden opgeruimd. Boven de schedels staat geschreven: '*Was Ihr seid, das waren wir; Was wir sind, das werdet Ihr*', daar kunnen we het dan weer mee doen. Even voorbij de kerk staat een heel erg oude linde, die voor het eerst in 1357 werd genoemd en nog steeds gezond blad draagt. Bij de oude linde slaat u links af langs het Pfarrhaus uit 1461 en door de Judengasse richting Birgisch. Bij **Pt. 955 m** kruist de oude weg de asfaltweg die u 500 m moet volgen.

Dan gaat de oude weg verder naar **Birgisch** (1091 m), dat u als het ware via de achtertuinen van de mensen binnenloopt. Onderweg ziet u in de diepte het Rhônedal liggen en wordt duidelijk dat zonder kanalisatie van de Rhône het huidige centrum van Brig nooit gebouwd had kunnen worden. En ook nu ondervindt Brig nog wel eens problemen met zijn ligging in de oude bedding: in 1993 stroomde na heftige regens één grote, kolkende en woedende rivier dwars door het centrum. Birgisch is bekend om zijn geiten met zwarte koppen en nekken, *Schwarzhalsziegen* genoemd.

Vanaf Birgisch volgt u het pad verder naar Mund. Dit pad voert eerst omhoog langs een oude zagerij (*Sägerei*) en vervolgens over een vrij vlak pad met een grote boog via **Mundchi** (1181 m) naar Mund (45 minuten). De kern van **Mund** is verrassend oud, met mooie donkere houten huizen en boerderijen, hooizolders en smalle wegen; de grote weg (met halte voor de bus terug naar Brig) gaat dan ook om Mund heen.

19 Grote Aletschgletsjer

DE ROUTE IN HET KORT

Karakter: Oude arven en lariksen omzomen het pad van deze wandeling. Het indrukwekkendst is echter de gletsjer, die als een trage rivier tussen de hoge bergpieken stroomt. In het bezoekerscentrum Pro Natura bij Riederfurka vindt u alle informatie over het beheer van het Aletschwald. Na een confrontatie met de gletsjer volgt u de route terug langs enkele kleine meren.

Markering: Routebordjes naar tussendoelen.
Wandelkaart: Rotten Verlag, Aletsch Wanderkarte 1:25.000.
Horeca: Bettmeralp, Riederalp en nostalgische Tee-Salon in Villa Cassel.
Bereikbaarheid: Vanaf Betten (trein-, busstation en parking) gondelbaan vier maal per uur naar het autovrije Bettmeralp.

Niveau
+ + +
Duur
4 uur 30 min
Hoogteverschil
120 m
Lengte
16,5 km

Als een trage rivier stroomt de ***Grote Aletschgletsjer*** tussen de hoge bergpieken en ruggen door: 23 km lang en daarmee de langste gletsjer van de Alpen. Het is een echte gletsjer, met alle verschijnselen die daarbij horen: middenmorenen, twee zelfs, omdat hij door drie ijsbekkens gevoed wordt, zijmorenen, gletsjertafels, gletsjerspleten enzovoort. Van verre ziet hij soms een beetje grauw, van dichtbij ijsblauw. Langs de rand heeft zich op de hellingen een eeuwenoud bos gevestigd met duizend jaar oude arven en lariksen. De open ruimte tussen de bomen wordt ingenomen door struiken en bloemen. Een groot liefhebber van de zaden van de arve is de notenkraker; op een tocht door het Aletschwald wordt u dan ook vaak en luidruchtig begeleid door die witgespikkelde bruine kraaiachtigen. Van de tienduizenden zaden die zo'n vogel per seizoen begraaft, worden er altijd wel wat vergeten. Zo kunnen de intrigerende bomen zich verspreiden. Sinds 1933 is het Aletschwald een natuurreservaat.

De Grote Aletschgletsjer (MM)

Van het kabelstation **Bettmeralp** volgt u de bordjes Riederfurka, eerst
asfalt, na 20 minuten rechtsaf (vlak voor de gondelbaan naar Moosfluh)
en over onverharde paden verder. In **Riederfurka** (2065 m) ligt het bezoekerscentrum *Villa Cassel*, een soort natuurmuseum met diashow over het
Aletschgebied, dagelijks geopend van 9-18 uur, entree 2007 CHF 8.
Vanaf Riederfurka laat u zich leiden door de bordjes 'Belalp', afdalend
in het **Aletschwald**. Overal zijn knoestige oude arven en lariksen te zien.
Na drie kwartier op dit pad komt u in een venig terrein met poelen. Daar
slaat het pad voor Belalp linksaf, maar u gaat hier rechtdoor (richting
Obere Aletschweg) langs een arve met een breed plateau van wortels, de
Bischofssitz.
Een half uur later nadert u de gletsjer en volgt daar de bordjes '*Kalkofen
15 Min.*' en '*Katzenlöcher 45 Min*'. Na een halfuur kunt u links afdalen (bordje '*Gletscher 20 Min.*') om te gaan kijken aan de rand van de gletsjer. Voor
het uitzicht eventueel nog doorlopen naar Katzenlöcher, maar dan circa
550 m dezelfde weg terug en linksaf, richting Blausee. Langs de **Blausee**
en de **Bettmersee** volgt dan de geleidelijke afdaling naar het uitgangspunt
Bettmeralp.

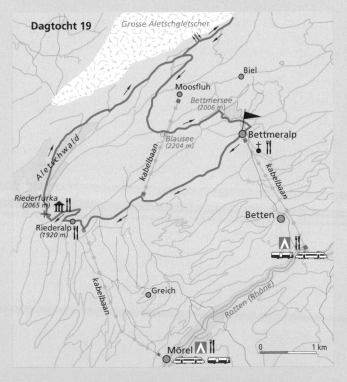

20 Mineralen van het Binntal

DE ROUTE IN HET KORT

Karakter: Een lange wandeling langs de oevers van de Binna, gedeeltelijk over een rustige, autovrije asfaltweg, gedeeltelijk over smalle paden tussen rotsblokken over de bergweiden met hier en daar onverstoorbaar grazende koeien. Het Binntal is bekend om de vondsten van mineralen; in Imfeld kunt u ze bewonderen in een winkel met expositie.

Markering: Gele routebordjes naar tussendoelen.
Wandelkaart: Binntal Tourismus, Wanderkarte Binntal 1:50.000.
Horeca: Restaurant met terras aan de beek in Imfeld.
Bereikbaarheid: Bus vanuit Fiesch (treinstation) naar Binn (2007: 6.56, 8.29, 9.29, 11.45, 13.55, 16.29, 17.29 en 18.29 uur), overstappen in Ernen.

Niveau
+ + +
Duur
5 uur 30 min
Hoogteverschil
500 m
Lengte
16 km

Het begin en einde van de route is in **Binn**. Het is ook mogelijk de wandeling te maken vanaf Imfeld, daar is een parkeerplaats (betaald) en een bushalte en het maakt de tocht ca 1,5 uur korter.
Het **Binntal** is een vrij weelderig hooggebergtedal omdat er veel regen valt. Uitgestrekte oude lariksbossen vullen de dalhellingen, op de bloemen wemelt het van de vlinders, de bergbeek Binna zoekt soms rustig, soms schuimend zijn weg naar beneden. Allerlei soorten gesteenten liggen er voor het oprapen: hagelwitte dolomiet, glanzende glimmerschisten vol met rode granaten en in de gesteenten de mineralen waar het Binntal wereldwijd bekend om is. In Binn en Imfeld wonen professionele mineralenzoekers, die winkels vol mineralen en stenen beheren en met wie u op zoektocht kunt. De asfaltweg van het Binntal eindigt voor toeristen aan de voet van Imfeld; een doorgaande weg naar Italië ontbreekt. Vroeger was de Albrunpas, aan het eind van het dal op de grens van Zwitserland en Italië, een bekende oversteek voor handelaars en legers, nu alleen nog maar voor wandelaars.

Dagtocht 20

Freichi (1883 m)
Halsensee (2002 m)
Fäld/Imfeld (1547 m)
Binn
Mineraliengrube
Binn 1389 m
0   1km

Mineralen zoeken in het Binntal (MM)

Vanuit Binn (1389 m) gaat u over de stenen boogbrug uit 1564 linksaf richting camping en *Imfeld* (1547 m). Bij de parkeerplaats van Imfeld (met een informatiebord, restaurant en terras) kiest u de asfaltweg naar de Mineraliengrube en Freichi. In een bocht van de asfaltweg neemt u na ongeveer 15 minuten linksaf het stenige pad, eerst tussen lage naaldbomen door en later langs weiden vol bloemen en vlinders richting Halsensee. Wie eerst zijn geluk wil beproeven op de steenstort van de groeve, moet de asfaltweg nog circa 5 minuten blijven volgen naar de *Mineraliengrube*, waar u kunt zoeken naar het goudgele pyriet of het metaalglanzende markasiet.

De wandeling Imfeld – Freichi neemt ongeveer twee uur in beslag. Langs de Binna bij de brug bij *Freichi* is het goed picknicken (geen horeca), forellen bekijken en stenen zoeken.

Van hieruit is de *Halsensee* in circa 40 minuten (bewegwijzerd) via een stevige klim te bereiken. Bij het meer hebt u mooi uitzicht op het dal en de bergen. De terugweg gaat over de brug linksaf en nu langs de andere kant van de Binna naar *Fäld/Imfeld*. Eerst wandelt u over de verharde weg, maar al vrij gauw gaat er linksaf een bospad (Waldweg) over de helling. Dit pad blijven volgen door lariksbossen en langs een enkel huis. Het laatste stuk gaat door de weiden naar Imfeld en Binn.

De wandeling is vanaf de Halsensee gemakkelijk uit te breiden tot een tweedaagse tocht met een overnachting in de SAC-hut *Binntalhütte* (eind juni-begin oktober, 50 slaapplaatsen, eenvoudige maaltijden) en een tocht naar de Albrunpas op de grens met Italië.

H 21 Stadswandeling Sion

Karakter: Sion is de aantrekkelijke hoofdstad van Wallis, een prettige stad met winkelstraten, pleinen, terrassen en parkjes. Bovendien zijn er enkele musea, kerken en goed gerestaureerde historische gebouwen. Bijzonder levendig is het er op vrijdag, tijdens de markt in de oude binnenstad.

Sion ligt midden in Wallis, op de rechteroever van de Rhône en wordt gekenmerkt door zijn twee burchtheuvels Valère en Tourbillon, die hoog boven de Rhône uitsteken.

Duur
2 à 3 uur

Hoogteverschil
160 m

Lengte
3,5 km

De stadswandeling begint en eindigt bij het trein- en busstation. De cijfers in de beschrijving verwijzen naar de plattegrond.

Vanaf het station (*1*) leidt de Avenue de la Gare naar het plein en park *Place de la Planta* (*2*). Dit pleinpark was aan het einde van de 15e eeuw het slagveld waar de belangrijkste slag tussen Walter II Supersaxo, de bisschop van Sion, en Savoye werd geleverd. Savoye werd daarbij definitief verslagen. Nu vindt u er het kantoor van de VVV. In het kleine park staan enkele bijzondere bomen.

Aan de Avenue de la Gare nr. 42 ligt het *Natuurhistorisch Museum* (*3*). Op de hoek van de Avenue Ritz en de Rue de la Tour staat de Tour des Sorciers (*4*), eens de hoeksteen van een stadsmuur, waar in de middeleeuwen vermeende heksen en tovenaars ter dood werden gebracht. De kathedraal *Nôtre-Dame-du-Glarier* (*5*; 15e-16e eeuw) heeft een fraaie romaanse toren uit de 12e eeuw en een schitterend triptiek aan het hoofdaltaar dat als onderwerp Maria Hemelvaart heeft.

✸ Dan wordt het tijd om de burchtheuvels te beklimmen. De Rue des Châteaux geeft toegang tot beide heuvels, die van oudsher zekerheid boden tegen de in het voorjaar buiten zijn oevers tredende Rhône. Ze vormden ook een veilige wijkplaats tegen vijandelijke legers én een goede uitkijkpost over het Rhônedal. Beide heuvelburchten bieden verrassende hoeken, gebouwen, interieurs en vergezichten.

De hoogste, aan de linkerhand, is de *Tourbillon* (*6*; 658 m), waar zich de resten van een in 1788 verbrand slot bevinden. Delen van de slotmuur zijn inmiddels gerestaureerd, evenals de kapel. Wandelt u van de Tourbillon naar de andere burchtheuvel, Valère, dan komt u langs het kleine *Allerheiligenkapelletje* (*7*) uit 1325. De burcht *Valère* (*8*) werd in de 12e en 13e eeuw als vesting gebouwd en was vrijwel onneembaar. Binnen de muren liggen de basiliek Notre-Dame-de-Valère, de huizen van getrouwen van de bisschoppen van Sion en de gastenverblijven. Vier met ijzer beslagen poorten moest men destijds door om de ruimte van de burchtheren te bereiken. Tegenwoordig is er het interessante *Musée Cantonal d'Histoire* gevestigd. In de basiliek staat het oudste orgel van Zwitserland, dat in 1390 werd gebouwd en waarop nog steeds concerten worden gegeven.

De wandeling gaat van Valère door de Rue des Châteaux terug naar de stad. Onderweg staat aan de rechterkant *La Majorie* (**9**), oorspronkelijk het paleis van de wereldlijke behartiger van de bisschoppelijke bezittingen en nu *Musée des beaux-arts* (met in de collectie voornamelijk kunst uit Wallis). Ertegenover staat *La Grange-à-Éveque* (**10**), eens opslagplaats van de bisschoppen van Sion en nu *Musée d'Archéologie*.

Aan de Rue du Grand Pont, zo genoemd omdat de Sionne er in een tunnel onderdoor stroomt, ligt het *Hôtel de Ville* (**11**), een 17e-eeuws renaissancestadhuis. Op het binnenhofje tussen de Rue de Conthey en de Rue de Lausanne ten slotte, ligt het vrij toegankelijke *Maison Supersaxo* (**12**). Beneden is een restaurant, op de tweede verdieping is het kunstig uitgevoerde *Plafond Malacrida* te zien, het hoogtepunt van de gotische sierkunst in Zwitserland (1505).

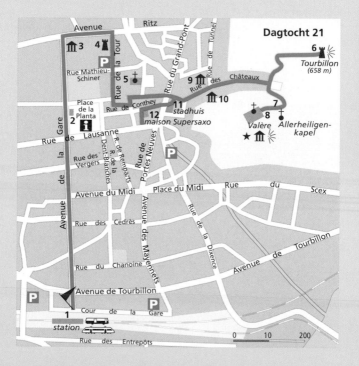

22 Mont Blanc Express

Reistijd (enkel)
1 uur 40 min

Karakter: Deze bijzondere treinreis brengt u van Martigny naar Chamonix aan de voet van de Mont Blanc. Onderweg is er uitzicht op het alpenlandschap met indrukwekkende toppen, diepe kloven en bruisend witte watervallen. Sommige treinen hebben panoramarijtuigen, die u in staat stellen nog meer van het uitzicht te genieten. Enkele keren maakt de trein met het tandrad een steile klim, u passeert kleine bergdorpen en bereikt ten slotte de levendige toeristenplaats Chamonix in de Franse alpen. De vervoerbewijzen van het Swiss Travel System zijn geldig voor deze hele rit.

De rood-witte wagons van de Mont Blanc Express staan in *Martigny* langs een apart perron voor het eigenlijke spoorstation. Het spoor is wat smaller dan normaal en de lijn, die inmiddels ruim honderd jaar bestaat, is eigendom van de maatschappij TRM, *Transport de Martigny et Regions*. De prijs voor een retourtje naar Chamonix was in 2007 CHF 49. Zie voor informatie over de dienstregeling en tarieven www.tmrsa.ch.

De eerste minuten rijdt de trein nog langs de boomgaarden in het dal van de Rhône. In de zomer ziet u er de oranje-gele abrikozen tussen het groen. Na een stop bij *Vernayaz* buigt het spoor naar het dal van de *Trient*. Daar gaat de trein de eerste tunnel in en er volgt een flinke stijging met een helling van wel 20%. Het is te horen en te voelen hoe hier het tandrad van de trein in de getande tussenrail grijpt. Wie aan de rechterzijde zit, heeft na de tunnel een fantastisch uitzicht over het Rhônedal.

Aan de voet van de Mont Blanc (CE)

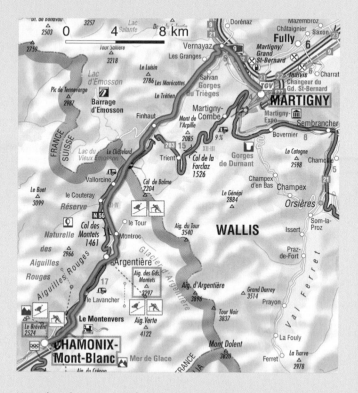

Het volgende station is *Salvan*, een toeristendorp, dat op 925 m ligt, ruim 450 m boven het dal van de Rhône. Over diverse bruggen, met knarsende wielen door bochten en door donkere tunnels klimt de trein nu verder door de Vallée du Trient. Angstig diep zijn hier en daar de afgronden vlak langs het traject van de trein. Voortdurend zijn er uitzichten op toppen, bergpassen en steile rotswanden. U passeert de stations van *Les Marécottes* en *Le Trétien* en u ziet hier geen bovenleiding meer, omdat de elektriciteit geleverd wordt door een derde rail zonder enige bescherming. Dat is uniek, maar voor wandelaars ook wel gevaarlijk. Voorbij het station van *Finhaut* is er links uitzicht op de *Forclazgletsjer*.

Bij *Châtelard-Frontière* passeert u de grens. U moet daar ook overstappen op een trein van de Franse spoorwegen. Door een mooi groen dal met rechts de rivier vervolgt u de reis naar *Chamonix*. Onderweg is er telkens al uitzicht op de Mont Blanc.

Vanaf het station in Chamonix wandelt u over de brede Avenue Michel Croz de stad in. Vlak voor de brug over de *Arve* staat rechts het *Musée Alpin*. In de autovrije straten is het gezellig druk en bij geschikt weer is het goed zitten op een van de terrassen met uitzicht op de bergen.

⊘ 23 Portes du Soleil

Karakter: Deze autoroute, die begint aan het Meer van Genève, kenmerkt zich door bijzondere uitzichten. De hooggelegen terrassen in het Frans-Zwitserse grensgebied boven Monthey noemt men Portes du Soleil. U verkent het gebied via de karakteristieke dalen van Illiez en Morgins. Op de hoogste punten kijkt u naar het oosten uit over het brede Rhônedal met aan de overzijde de kalkalpen van Vaud. De terugweg voert door dat zelfde Rhônedal met links en rechts uitzicht op een indrukwekkend alpendecor.

Rijduur
3 uur 30 min
Lengte
108 km

Vanaf de grensplaats **St-Gingolph** aan het meer van Genève volgt u weg nr. 21 naar Le Bouveret. Weg nr. 21 loopt verder in zuidelijke richting langs de kleine industrieplaatsen **Vouvry** en **Vionnaz**. Bij Colombey slaat u dan rechts af naar **Monthey**.

Na Monthey volgt eerst een bezoek aan het **Val de Morgins** met het dorpje **Morgins**, dat op 1333 m hoogte ligt in een zeer bosrijke omgeving.

U kiest dezelfde weg terug naar **Troistorrents**, met zijn slanke vierkante kerktoren, om dan het aantrekkelijke **Val d'Illiez** in te rijden. Hier stroomt, diep ingesneden, de Vièze en opvallend zijn de zeven rafelige toppen van de Dents du Midi. Het dal van de Illiez wordt afgesloten door de Dents Blanches, de voorboden van de Mont Blanc. Halverwege het dal ligt het plaatsje met dezelfde naam, **Val d'Illiez**. Het is een kleine bronnenbadplaats met warme, enigszins radioactieve buitenbaden. Het hoogste punt van het dal, en daarmee het eindpunt, bereikt u in **Champéry**. Dit is een moderne vakantieplaats, waar een tocht met de cabinelift naar Planachaux u op een hoogte van 1800 m beloont met prachtige uitzichten. In de plaats zelf is *L'Antarès, salon de thé, boulangerie-pâtisserie* een aantrekkelijk adres voor een rustpauze.

De route gaat nu langs dezelfde weg door het dal terug naar Monthey. Daar kiest u weer weg nr. 21, nu in de richting van Bex. Die plaats bereikt u door het Rhônedal dwars over te steken.

Via een brug over de Rhône en het viaduct van de snelweg komt u in **Bex**, dat ook wel Bex-les-Bains genoemd wordt. Het is namelijk een kuuroord, met zoutwaterbaden. Al vanaf de 16e eeuw wordt hier zout gewonnen door indamping van het zoute bronwater. Een paar kilometer ten noorden van Bex ligt een zoutmijn met kilometerslange gangen. Enkele keren per dag kan het publiek met een elektrisch treintje de mijn in voor een rondleiding (www.mines.ch).

Vanuit Bex gaat de route nu door het Rhônedal naar **Aigle**, dat bekend is als centrum van de wijnbouw. De rivier de Grande Eau, die hier uit het gebergte stroomt, heeft veel kalkpuin en zand afgezet, waarop de wijnstokken het goed doen. Voor informatie over de wijnbouw en het proeven van de wijn is er het interessante *Musée de la Vigne en du Vin*, prachtig gehuisvest in een kasteel tussen de wijngaarden. Het is in de zomermaanden dagelijks van 10-18 uur geopend.

Vanuit Aigle kiest u in noordelijke richting de weg die parallel loopt aan de spoorlijn. Enkele kilometers voorbij Roche is er een viaduct over de snelweg. Daarna gaat u linksaf, richting Noville, en daarna zuidwaarts terug naar weg nr. 21. U passeert een opvallend kasteeltje met de interessante naam *Porte du Sex*. De eigenlijke spelling is echter Porte du Scex, en dat woord is afgeleid van het latijnse *saxum*, wat rots betekent.
Weg nr. 21 brengt u ten slotte weer aan de oever van het Meer van Genève en het startpunt van de route in St-Gingolph.

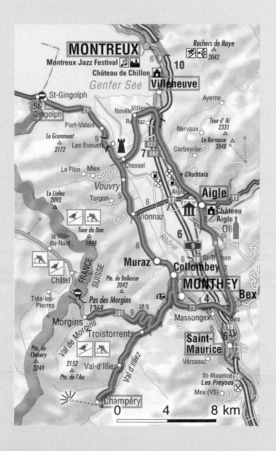

⊙24 Col du Grand-St-Bernard
DE ROUTE IN HET KORT

Karakter: De route loopt heen en terug door het Val d'Entremont naar de pas van de Grand-St-Bernard. Op de heenweg maakt u een zijuitstapje over een stille bergweg door het fraaie Val Champex. De eigenlijke hoofdweg door het alpenlandschap naar de pas van de St. Bernard kent de laatste 6 km een spectaculaire klim naar 2469 m. Op de terugweg kiest u een weg met veel haarspeldbochten naar Verbier, gelegen op een hoog plateau met uitzicht op bergtoppen in de wijde omtrek.

Rijduur
3 uur 30 min
Lengte
105 km

✴ De start van deze route is in ***Martigny***, waar u al een bezoek kunt brengen aan het in 2006 geopende St. Bernardmuseum aan de Route du Levant 34. U vindt er veel informatie over de geschiedenis van de pas en het hospitium dat zich daar bevindt. Ook zijn er in ruime kooien grote St. Bernardhonden te zien. Dagelijks geopend van 10 – 18 uur.

Vanaf Martigny loopt de hoofdweg met nr. 21 eerst door het dal van de Dranse naar het oosten. Ongeveer 6 km buiten Martigny slaat u rechts af om door het Val Champex naar Orsière te rijden. Het is een mooie, bochtige weg met uitzicht op de toppen aan weerszijden van het Val d'Entremont. Dichtbij de afslag, net voorbij Les Valettes is de toegang tot de ***Gorges de Durnand***, een bijzondere, 150 m diepe kloof met 14 watervallen. Over trappen en balken is een pad gemaakt om de kloof een stuk in te wandelen. De flink stijgende weg (13 %) voert naar ***Champex*** (1465 m), dat ligt aan een meer in een bosrijke omgeving.

Sint-bernardshonden op de Col (MM)

Aan het meer ligt de alpentuin *Floralpe* met ruim 2000 soorten planten, dagelijks van 9-18 uur geopend. Eind juli staat hier vrijwel alles in bloei. Na Champex volgt de afdaling met veel bochten naar het **Val Ferret** en dan naar Orsières aan weg nr. 21. Opvallend in **Orsières** (879 m) zijn de kleurige luiken aan de huizen. Bij het aardige dorpsplein staat een kerkje met een goed gerestaureerde romaanse toren. Over de Drance ligt hier een houten brug.

U volgt nu de hoofdroute door het dal van de Drance d'Entremont via **Bourg-St-Pierre** naar de pas. Voorbij Bourg-St-Pierre klimt de weg naar het stuwmeer **Lac des Toules**, gelegen in een komvormig dal. Daar voorbij, bij Bourg-St-Bernard, begint de toltunnel naar Italië van 1964.

U kiest echter de pasweg en die voert door een steeds ruiger en imposanter landschap naar de **Col du Grand-St-Bernard** op 2469 m met het hospitium, het meer en de grenspost. Onder de pasweg is nog het pad te zien dat de troepen van Napoleon gebruikten voor de tocht in 1800.

Na een bezoek aan de pas met zijn mooie uitzichten op het woeste landschap neemt u lange tijd dezelfde weg terug tot aan **Sembrancher**, een stil dorp met oude stenen huizen. U slaat hier rechts af naar het Val de Bagnes, een rustig dal met fruitbomen, wat landbouw, grazende koeien en dorpen met smalle straten. Dit is ook het dal waar de bagnes vandaan komt, een door velen gewaardeerde Zwitserse kaassoort. De hoofdplaats van het dal is **Le Châble**. Een steile weg met veel bochten verbindt Le Châble met **Verbier**.

Weer terug in Sembrancher kunt u weg nr. 21 volgen naar Martigny, maar voor wie de route iets langer wil maken is er de kronkelende weg door het berglandschap over Levron en de Col des Planches met de gelijknamige *Auberge*, een aantrekkelijk restaurant.

⊕ 25 Val d'Hérens

Rijduur
3 uur 45 min
Lengte
115 km

Karakter: Deze route voert vanuit Sion eerst naar het zuiden door het Val d'Hérens, oftewel het Eringertal, waar op de bergweiden de zwarte koeien grazen van het Eringer ras. Voorbij Evolène rijdt u door het mooie Val d'Arolla recht op de hoge Alpentoppen af. Op de terugweg steekt u bij Grône het brede Rhônedal over. Door een afwisselend landschap met kleine boerendorpen die zo kenmerkend zijn voor Wallis, gaat de route dan boven de noordoever van de Rhône weer naar Sion.

Deze route begint en eindigt in Sion, de eigenlijke hoofdstad van Wallis. Vanuit **Sion** kiest u de weg naar het zuiden, richting **Val d'Hérens**. Vanuit het Rhônedal is er eerst een klim met mooie uitzichten naar het dorp **Vex**. Op een splitsing kiest houdt u links aan om de hoofdweg te blijven volgen door het Val d'Hérens.

✵ Bij Euseigne ziet u de beroemde *aardpiramiden*. Deze vreemde aarden vormen van tien tot vijftien meter hoog, met bovenop een grote steen zijn de sterk erosiegevoelige resten van het puin dat door de gletsjer werd achtergelaten. Ze zijn deels tegen erosie beschermd door een laag grote platte stenen erbovenop. Dieper in het dal staan ze ook en u kunt daar zien hoe snel ze verweren als de stenen 'paraplu' er afgevallen is. Het Val d'Hérens hoort tot de best bewaarde, authentieke landschappen van de Alpen. Hier zijn geen reusachtige toeristenoorden, maar wel is te zien hoe ooit smalle we-

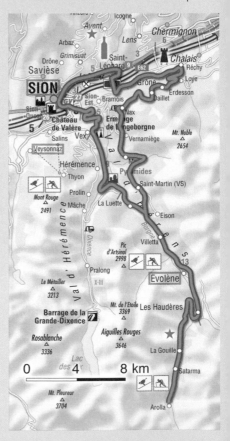

De bergen rond Arolla (MM)

gen zijn aangelegd om de bergweiden te bereiken. Lage stenen muurtjes omzomen hier en daar terrasvormige akkers die er ook al wel honderden jaren liggen. Kleine, compacte dorpen suggereren een goede harmonie met natuur en milieu.

Vanaf **Evolène**, de belangrijkste plaats van het dal, klimt de weg langs bergwanden van verschillende steensoorten, naaldbossen en stukjes weiland naar **Arolla** op 1998 m. Twee machtige bergtoppen bepalen het decor van dit stille dorp aan het einde van het dal, de met sneeuw bedekte Pigne d'Arolla (3796 m) en de Mont Collan (3637 m). Op de terugweg neemt u voorbij Evolène na een korte tunnel rechtsaf de weg naar **St-Martin**. De bochtige weg aan de oostzijde van het Val d'Hérens brengt u vervolgens in Mase met zijn forse huizen en leien daken. Het is van oorsprong een agrarisch dorp, perceeltjes met graan, groente en aardappelen herinneren aan de vroegere kleinschalige landbouw. Bij het dorp is een wandelpad aangelegd langs de Suone, een al in de middeleeuwen aangelegd bevloeiingskanaal. **Nax** is het volgende dorp op de route. Er zijn diverse restaurants voor een goede lunchpauze, met mogelijkheden om kaassoorten en wijnen uit de eigen regio te proeven.

Langs de zuidrand van het Rhônedal gaat de weg dan verder naar het aardige **Grône**, waar u boven het dorp uit de wit geschilderde toren ziet van het kasteeltje Morestel, oorspronkelijk gebouwd in de 13e eeuw. In Grône, waar u het Rhônedal bereikt, slaat u links af, lanks de kerk met grijze toren richting Bramois. Hier neemt u de brug over de Rhône naar **St-Léonard**, waar eventueel het onderaardse meertje, het *Lac Sousterrain* bezocht kan worden. Over de brede weg, die aan de rechterkant geflankeerd wordt door wijnhellingen, loopt de route ten slotte terug naar Sion.

🚗26 Val d'Anniviers - Montana

Karakter: De tocht naar het Val d'Anniviers begint in Sierre in het Rhônedal. Eerst is er een flinke stijging met veel bochten naar een hoogvlakte en dan loopt de weg tamelijk vlak langs de rand van een steil kloofdal, dat uitgesneden is door de rivier La Navi-

sence. Tussen Grimentz en Vercorin loopt een smalle bergweg langs enkele kleine boerendorpen. Bij Chalais steekt u het Rhônedal weer over voor een bezoek aan de drukke toeristenplaats Montana aan de beboste noordzijde van het dal.

Rijduur
3 uur 15 min
Lengte
95 km

Het *Val d'Anniviers* is een van de aantrekkelijkste zijdalen van de Rhône, met groene weiden, boomgaarden, bijna loodrechte hellingen en de onstuimig stromende Navisence. De naam van het dal is afgeleid van Anni Viatores, ofwel de jaarrondreizigers of nomaden. Waarschijnlijk trokken vroeger de dalbewoners 's zomers met hun vee naar de alpenweiden en 's winters naar de warmere laagte. Net als in het Val d'Hérens grazen hier de donkere koeien van het Eringer ras.

De route begint en eindigt in *Sierre*, dat net als Sion gebouwd is op heuvels in het Rhônedal. De wijnbouw in de omgeving profiteert van de gunstige ligging in het dal.
Om het Val d'Anniviers te bereiken steekt u bij Sierre de Rhône over en volgt u de weg in zuidelijke richting. Na een enorme klim met 13 haarspeldbochten komt u op het plateau van Nioux. Dan is er verder naar het zuiden

een relatief vlakke weg langs de steile bergwand. Er zijn een paar parkeerplaatsen om even uit te stappen om de diepte te zien.

U komt onder andere door *Vissoie*, de belangrijkste plaats van het dal. Op maandag-, woensdag- en vrijdagmiddag is daar het *Musée Patoisants et Costumes* te bezoeken. Het is een aardig klein museum dat een beeld geeft van het boerenleven in vroeger tijden. In *Ayer*, het volgende dorp, ziet u de typische boerenhuizen die zo kenmerkend zijn voor Wallis. De wanden zijn opgetrokken

Gevel van een boerenhuis (CE)

uit dikke balken van larixhout en rusten op grote ronde stenen. Voorbij Ayer kiest u naar rechts de weg naar *Grimentz*. U rijdt dan door een kom-vormig dal met bloemrijke hooilanden en overal kleine hooischuurtjes. Om Grimentz te bezoeken moet u de auto even laten staan op een van de parkeerplaatsen langs de doorgaande weg. Het aardige dorp met mooie huizen en veel bloemen wordt bewust autovrij gehouden.

Na Grimentz gaat de route via *St-Jean* richting Vissoie, maar al voor dat dorp slaat u links af, naar *Vercorin*. Dit is een avontuurlijk deel van de route, want u rijdt over een smalle, weinig gebruikte bergweg. Een korte wandeling door Vercorin is de moeite waard, het is een rustig dorp met een aardige kern. Ook in de omgeving zijn mooie wandelingen te maken. Na Vercorin daalt de weg met grote bochten af naar *Chalais* in het Rhônedal. Chalais is een stil dorp met royaal uitzicht op de wijnhellingen. De route gaat nu dwars over de snelweg, de rivier en de spoorlijn naar Noës aan de overzijde van het dal. Daar kiest u even richting Sierre en dan de eerste mogelijkheid naar *Crans-Montana*. Door de gunstige ligging en het aangename klimaat heeft Montana zich samen met Crans ontwikkeld tot een veel bezochte vakantieplaats. U vindt er zeker een geschikt res-taurant voor de lunch of het diner. De weg door de twee plaatsen volgend rijdt u weer richting Sierre.
Aan de noordzijde van het Rhônedal ziet u de imposante drieduizenders Wildstrubel, Schneehorn, Gletscherhorn en Wildhorn, die de grens vormen tussen Wallis en het Berner Oberland.

🚗27 Leukerbad - Lötschental

DE ROUTE IN HET KORT

Karakter: Deze route vormt een verbinding tussen twee uitersten. Vanuit het Rhônedal rijdt u eerst naar het haast mondaine kuuroord Leukerbad met de geneeskrachtige warmwaterbronnen. Wat verder naar het oosten bezoekt u daarna het karakteristieke Lötschental met

zijn prachtige natuur en de stille boerendorpen. Het dal, dat eeuwenlang geïsoleerd lag en zelfs een eigen taal ontwikkelde, eindigt aan de voet van de Langgletsjer. Inmiddels bent u ook de Zwitserse taalgrens overgestoken, ten oosten van Leuk begint het Duitstalige deel van Wallis.

Rijduur
3 uur 15 min
Lengte
94 km

De tocht begint in *Leuk*, met wijnbouw tegen de hellingen aan de rechteroever van de Rhône. U volgt de sterk klimmende weg naar Leukerbad. Lang voor het gemotoriseerde verkeer lag hier al de weg naar de Gemnipas, die ooit de enige verbinding vormde met Kandersteg in het Berner Oberland. Diezelfde pas is overigens nu met een gondelbaan te bereiken. Via *Inden* bereikt u *Leukerbad*. Dit al in het verre verleden bekende kuuroord ligt ingesloten tussen de grootse kalkketens van de Daubenhorn (2942 m) en de Schwarzhorn (3105 m). Een rondwandeling in Leukerbad om even iets van het luxe, maar ook heilzame en creatieve badleven te ervaren, is zeker de moeite waard. U kunt ook een uitgezette wandeling maken langs de thermale bronnen met onderweg informatieborden. Parkeren is er alleen toegestaan in de parkeergarages.

Bij vertrek uit Leukerbad neemt u direct aan de rand van het dorp linksaf de weg naar *Albinen*. Het is een avontuurlijke weg met veel bochten, soms

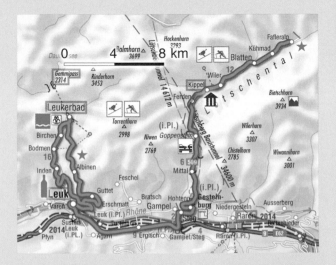

Puinwaaier in het Rhônedal bij Leuk (MM)

met een mooi uitzicht op het Rhônedal. Voorbij Albinen komt u langs het *Satellitenbodenstation* met zijn enorme witte schotelantennes.

Terug in Leuk steekt u de Rhône over naar **Susten**, dat zijn naam dankt aan het feit dat de reizigers daar vroeger tol moesten betalen ('*sust*' betekent 'tol'). Oostwaarts gaat het nu verder over de N9, een weg met hoge populieren, naar **Turtmann**. Het Rhônedal is hier breed, u ziet er vooral akkers en ook militaire oefenterreinen. Bij **Gampel-Steg** kiest u richting Lötschental, een brede weg die met grote lussen stijgt naar het hooggelegen dal. Al vanuit de auto is iets van de overweldigende omgeving in het **Lötschental** te ervaren. Heel bijzonder wordt het pas als u de auto verlaat en rondloopt door de traditioneel gebouwde boerendorpen of ergens een wandeling maakt in de natuur. Daar bloeien de alpenbloemen, bruisen kleine en grotere beken, zijn de effecten van steenlawines te zien en hoort of ziet u wellicht de alpenmarmotten. In het mooie dorp **Kippel** is het aardige *Lötschentaler Museum* (zie pag. 24), dat een goed beeld geeft van hoe de bewoners hier in het geïsoleerd liggende dal vroeger leefden en werkten. De weg door het Lötschental eindigt voorbij **Fafleralp** bij een groot parkeerterrein met in de verte de Langgletsjer. Voor wie zich de tijd gunt, is dit weer een ideaal punt voor een wandeling.

Dezelfde weg terug door het Lötschental is bepaald geen straf, u ziet de natuur vanuit een andere gezichtshoek en er is telkens weer iets nieuws te ontdekken. De N9 brengt u ten slotte terug bij het uitgangspunt in Leuk.

🚗28 Matterhorn - Saastal

Karakter: De Matterhorn (4478 m) is een van de meest spectaculaire toppen van de Zwitserse Alpen. Rijdend naar het zuiden vanuit Visp in het Rhônedal ziet u hem als het ware steeds dichterbij komen. Bij Stalden is een splitsing en de route loopt dan door het imposante dal van de Matter Vispa. Auto's mogen in dit Mattertal niet verder dan Täsch. Terug in Stalden kiest u het eveneens indrukwekkende Saastal. De weg eindigt in Saas Fee aan de voet van de Feegletsjer.

Rijduur
3 uur

Lengte
95 km

Vanuit *Visp* klimt zuidwaarts een weg omhoog naar het Mattertal en het Saastal. In Stalden splitst de weg zich. U gaat eerst rechtsaf in de richting van de Matterhorn. Net voorbij Stalden begint met een geweldige kloof het ruige, diep ingesneden V-vormige Mattertal met de wildstromende Matter Vispa. U komt door het kleine *St. Niklaus*, dat tussen beboste hellingen ligt met daarboven uit de Alpentoppen van soms meer dan 3000 m. Niet opgenomen in de route, maar wel de moeite waard is een ritje naar *Grächen* op een hoog plateau boven St. Niklaus. Het is een ideaal uitgangspunt voor wandelingen in het Mattertal.

❉ De weg vervolgend komt u nog door de wintersportplaats *Randa* en de weg eindigt dan in *Täsch*, 5 km voor *Zermatt*. Om die drukke vakantieplaats aan de voet van de Matterhorn te bezoeken, laat u de auto staan in Täsch (betaald parkeren) om voor het laatste stukje de trein, een taxi of een pendelbus te nemen.

De Matterhorn (MM)

De route loopt terug over dezelfde weg naar de splitsing in Stalden, waar
u nu het andere dal kiest, het **Saastal**. Hoge toppen, waaronder die van het
Mischabelmassief met de Dom (4545 m) als hoogste, bepalen ook hier het
decor van het indrukwekkende landschap. **Saas Grund** is het belangrijkste
dorp van het dal. De top die u hier aan de oostzijde ziet, is de Weissmies
(4023 m). Saas Grund is een mooi vertrekpunt voor wandelingen.

Saas Fee, aan het einde van het dal, is wel met de auto te bereiken, maar
u wordt er direct naar een parkeergarage geleid. De plaats zelf is autovrij.
Grote hotels zijn nogal bepalend voor het karakter van het dorp, maar een
rondwandeling blijft de moeite waard. U kunt er in de oude pastorie het
Saaser Museum bezoeken, dat de interessante historie van het Saastal laat
zien. Ook is er een *Bäckermuseum*. Een bijzonderheid zijn de eeuwenoude
lariksbomen op de lariksweide net buiten het dorp. Daarachter ligt de
Feegletser in een omgeving die ook weer uitnodigt voor een wandeling.
Na het bezoek aan Saas Fee rijdt u door het Saastal en het Vispertal terug
naar Visp.

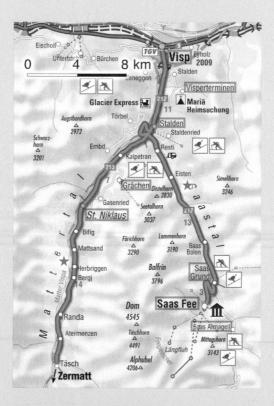

⊙29 Aletschgletsjer - Simplonpas

DE ROUTE IN HET KORT

Karakter: Deze tocht toont enkele heel bijzondere kenmerken van het Zwitserse landschap. Vanuit het Rhônedal rijdt u naar het noorden toe eerst in de richting van de Grote Aletschgletsjer, de langste gletsjer van de Alpen. U nadert de gletsjer aan de westzijde tot Blatten. Daarna gaat het terug naar de overzijde van de Rhône en dan over Simplonroute naar de Simplonpas. De weg is een perfect voorbeeld van wegenbouwkunde in het Alpenlandschap. Tot aan de pas is de weg goed te berijden en er zijn fraaie uitzichten.

Rijduur
3 uur
Lengte
95 km

✻ De route begint in *Brig*, de hoofdstad van het Duitstalige Wallis en nog altijd een belangrijk kruispunt van internationale handelswegen. Vanuit het stadsdeel Naters rijdt u via de dorpen Obers Moos en Mehlbaum naar *Blatten*. De kern van dit oude bergdorp ligt rond de *St. Theodullskapelle*. Er is een kabelbaan naar de Belalp (2086 m), waar diverse wandelingen te maken zijn, onder andere naar de Grote Aletschgletsjer.

U neemt dezelfde weg terug naar Brig. U passeert bij Brig enkele rotondes en kiest dan eerst Glis, daarna Simplon en vervolgens de aanwijzing Milano Domodossola Simplon. Zo komt u op de weg met nummer 9/E62,

die over de Simplonpas voert. Al vrij snel buiten Brig, na een sterke stijging langs beboste hellingen, passeert u een eerste geweldig kunststuk van deze route, de 678 m lange Ganterbrücke. Deze brug overspant op pijlers van 160 m hoogte het Gantertal. Diep onder u ligt de weg die Napoleon ooit liet aanleggen om zijn troepen naar het zuiden te verplaatsen. Al ruim voor die tijd waren het muilezelpaden die door de diepe *Saltinaschlucht* leidden en het Zwitserse Rhônedal verbonden met Lombardije in Italië.
Nu rijdt u over een comfortabele, brede weg met

Het Stockalperpalast van Brig (MM)

lawinegalerijen en tunnels. Zo nu en dan is er ook uitzicht op de Berner Alpen. De pas op 2005 m is vlak en kaal, met zo hier en daar een eenzame boom. Er staan enkele gebouwen, onder andere een paar kazernes en het Simplon-Hospiz uit 1825. Het hospitium wordt beheerd door de monniken van St. Bernard. De opvallende stenen adelaar op de pas is een herinnering aan de mobilisatie van het Zwitserse leger gedurende de Tweede Wereld-oorlog. Naar het zuiden toe is er uitzicht op de Fletschhorn. Vanaf de pas gaan veel wandelroutes het hooggebergte in, onder andere naar de nabije Kaltwassergletscher op de Monte Leone.

Voor sommige reizigers zal een bezoek aan de pas voldoende zijn, maar het loont de moeite door te rijden tot aan de Italiaanse grens.

De afdaling voert dan eerst enkele kilometers over een kale hoogvlakte, de Bergalp. Iets lager dan de weg staat een opvallend bouwwerk, het een-zame *Alte Spittel*. De weg daalt dan snel af, u passeert het gehucht *Egga* en elf kilometer na de pas het dorp *Simplon Dorf*, waar een *Ecomuseum* te bezoeken is (www.ecomuseum.ch). Na *Gstein-Gabi* voert de weg door de *Gondoschlucht* die is uitgesleten door de rivier de Diveria.

Aan het einde van de kloof ligt *Gondo*, de laatste Zwitserse plaats vlak voor de grens met Italië. Het dorp kwam in het nieuws toen het op zater-dag 14 oktober 2000 voor een groot deel verwoest werd door een lawine van rotsen en puin.

De weg is inmiddels smal geworden, maar u kunt er keren om terug te rijden naar Brig.

🚘30 Drie-passenroute

Karakter: Deze route leidt u vanuit het Rhônedal achtereenvolgens over de Nufenenpas (2478 m), de St. Gotthardpas (2108 m) en de Furkapas (2431 m). Elke pas heeft zijn eigen kenmerkende sfeer. U verlaat op deze tocht Wallis om even door twee andere kantons te rijden. Eerst komt u in Tessin en na de St. Gotthard in Uri, een deel van de toeristische regio Centraal Zwitserland. Bij de Furkapas, met een fantastisch uitzicht op de Rhônegletsjer, voert de route weer terug in Wallis.

Rijduur
3 uur 30 min
Lengte
93 km

De tocht begint in *Ulrichen*, u kiest daar de weg naar het zuidoosten door het Ägenetal. In het begin zijn er naaldbomen aan weerszijden, rond de 2000-metergrens is het landschap echter kaal en begint de weg met haarspeldbochten aan de laatste klim. Vanaf het hoogste punt van de *Nufenenpas* (2478 m) is er een geweldig uitzicht. De top van de Finsteraarhorn is vanaf dat punt heel goed te zien. Bij de pas ligt ook een meer en er is een restaurant/kiosk. Tussen oktober en mei is de pasweg afgesloten, ook in de zomer kan hier nog wel een pak sneeuw vallen.
Voorbij de pas komt u in Tessin, het Italiaanssprekende deel van Zwitserland. De weg daalt af via het *Valle Bedretto* met zijn vele bergweiden. De eerste kilometers zijn er nog flinke bochten, daarna verloopt het dalen rustiger.
Airolo is vooral een wintersportplaats, maar in de zomer komen er ook veel bergwandelaars.

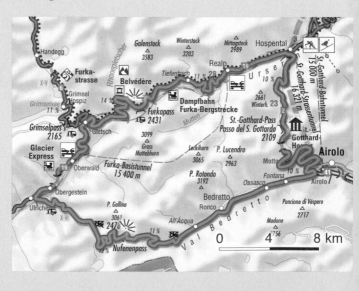

De Rhônegletsjer vanaf de Furkapas (MM)

U kiest hier de tolweg naar het noorden, richting **St. Gotthardpas**. Vroeger was deze *Gotthardstrasse* de drukke en belangrijke noord-zuidverbinding in de Zwitserse Alpen. Sinds de opening van Gotthardtunnel in 1980 is de pasweg veel rustiger en veel interessanter voor wie van het boeiende landschap wil genieten. Dat kan overigens alleen maar in de zomermaanden, want de pas is van november tot eind mei voor autoverkeer gesloten. Op de eigenlijke pas is in het *Hospiz* uit de 17e eeuw een hotel-restaurant gevestigd. Het *Gotthardmuseum* laat met documenten en maquettes zien hoe het verkeer over de pas zich in de loop der tijd ontwikkeld heeft. Wie rond 13 uur op de pas is, ziet een nagebouwd exemplaar van de oude postkoets voorbij komen. Toeristen, gestoken in historische kledij, kunnen tegen forse betaling zo'n nostalgische rit meemaken.

Afdalend na de Gotthardpas komt u in **Hospental**, een schilderachtig dorp, waar twee bergrivieren, de Furkareuss en de Gotthardreuss, bij elkaar komen. Parellel aan de Furkareuss en de spoorlijn rijdt u nu naar het westen, richting **Realp**, een veelgekozen uitgangspunt voor wandelingen.

✸ Na Realp stijgt de *Furkastrasse* met veel lussen, bochten en hellingen van 10 % in de richting van de **Furkapas**. Ongeveer een halve kilometer voor die pas ligt hotel *Furkablick*, een goed adres voor een verzorgde koffie- of lunchpauze. Op de pas is er een mooi uitzicht op de Rhônegletsjer en bij helder weer ziet u ook de Berner Alpen met de Finsterarhorn.

De Furkapasweg is smal, maar niet moeilijk te rijden. Na een stevige afdaling, weer met veel bochten, kiest u richting **Oberwald**. Daar bent u weer terug in het dal van de Rhône en spoedig ook bij het beginpunt van de route in Ullrichen.

De aardpiramiden bij Eusseigne (MM)

ABC

Adressen Het verkeersbureau *Zwitserland Toerisme* is alleen te bereiken via telecommunicatie en post. Er is een callcenter voor heel Europa in Zwitserland, waar men in zijn eigen taal te woord wordt gestaan.
Zowel vanuit Nederland als België kunt u gratis informatie krijgen via
tel. 00800 100 200 30 (Nederlandstalige service: ma.-vr. 8-17.30 uur),
fax 00800 100 200 31; www.MySwitzerland.com
Postadres voor Nederland: Zwitserland Toerisme, Postbus 17400,
1001 JK Amsterdam.
Voor België: Zwitserland Toerisme, Postbus 1600, 1000 Brussel 1.
In Wallis krijgt u informatie bij: *Wallis Tourismus/Valais Tourisme*,
6, rue Pré-Fleuri, CH-1951 Sion, tel. 0041 27 327 3570, fax 0041 27 327
3571; www.valaistourism.ch of www.wallis.ch
Jaarlijks geeft dit bureau een zeer informatieve brochure uit: *Valais en
été/Wallis im Sommer* (ook via Zwitserland Toerisme verkrijgbaar).
Touring Club Suisse (TCS) de zusterclub van de ANWB, is gevestigd op
4, chemin de Blandonnet, 1214 Vernier, tel. 0041 22 417 2727. ANWB-le-
den hebben op vertoon van hun *Internationale Reis- en Kredietbrief* in
de regel dezelfde rechten op toeristische diensten als TCS-leden.
Ten slotte zijn er nog de plaatselijke VVV's waar u terecht kunt voor
inlichtingen, het boeken van kamers en het kopen van bijvoorbeeld
kaarten. In het Duitstalige Wallis heten ze *Verkehrsverein* of *Verkehrs-
büro*, in Franstalig Valais *Office du Tourisme*.

Alpenplanten Wie uitbundige alpenweiden vol kleurige bloemen
wil zien, kan het beste tussen half juni en half juli, afhankelijk van de
hoogte en het maaien, naar boven gaan. Een beroemde wandeling
van circa 3 uur langs een rijkdom aan alpenbloemen is de *Blumenpro-
menade* in Saas Grund. Het is handig een alpenbloemengidsje mee te
nemen, maar u kunt ook namen leren door een *Alpenblumenlehrpfad*
te lopen, waarbij de bordjes langs de route vertellen welke planten
er groeien. Dergelijke leerpaden zijn er onder andere langs het stuwmeer van de *Grande Dixence* in het Val d'Hérémence en op de *Pas de
Maimbré*, die met de kabel vanuit Anzère te bereiken is. En wie zich
helemaal wil verliezen in de alpenplanten, kan de botanische tuin
Floréalpe bij Champex-Lac bezoeken, waar meer dan 2000 soorten
staan. Bij Bourg-St-Pierre, aan de weg naar de Grote St.-Bernardpas,
is de kleine botanische tuin *La Linnaea* ingericht. Bij *Villa Cassel* op de
Riederfurka is bij het bezoekerscentrum een alpentuin ingericht, waar
onder meer medicinale planten zijn te zien.

ANWB-service Jaarlijks geeft de ANWB het *Handboek Europa* uit.
Hierin vindt u onder andere informatie over toltarieven, invoerbepa-

lingen, afwijkende verkeersregels, logies en steunpunten. Ook kunt u bij de ANWB terecht voor verschillende reisverzekeringen en Wegenwacht Europa Service. Hiermee heeft u recht op hulp van de buitenlandse partners van de Wegenwacht, hulp en advies in het Nederlands van de ANWB Alarmcentrale en buitenlandse steunpunten, repatriering van uw auto als deze niet te repareren is en een vervangende auto als de pech niet ter plaatse te verhelpen is, zodat uw vakantie altijd kan doorgaan. Als u op reis gaat vergeet dan niet om een ANWB Doorlopende Reis- en Annuleringsverzekering af te sluiten en een ANWB Creditcard aan te vragen. Als u hulp nodig heeft volstaat één telefoontje naar de **ANWB Alarmcentrale, tel. 0031 88 269 28 88.** Voor informatie over ANWB-diensten, -producten en reisadvies kunt u terecht bij het *Contact Center Advies, service en verkoop*, tel. 088 269 22 22 of op anwb.nl. Ook kunt u voor ANWB-producten en reisgidsen terecht in een van de ANWB-winkels.

Attractieparken Interessant voor gezinnen met jonge kinderen is het *Labyrinthe Aventure* in Evionnaz. Er is niet alleen een reusachtige doolhof, maar ook een grote diversiteit aan speeltoestellen.
In Le Bouveret is het *Swiss Vapeur Parc*, een landschap in miniatuur waar schaalmodellen van stoomtreinen doorheen rijden. In dezelfde badplaats aan het Meer van Genève is ook het *Aquaparc* voor sensationele belevenissen op en in het water.
Happyland in Granges aan de Rhône is een familiepark met grote kermisattracties.

Het Labyrinthe Aventure in Evionnaz (CE)

Bergsportverenigingen Voor informatie over bergsport kunt u
in Nederland terecht bij de *Nederlandse Klim- en Bergsportvereniging
(NKBV)*, bezoekadres: Houttuinlaan 16A, 3447 GM Woerden. Postadres:
postbus 225, 3440 AE Woerden, tel. 0348 40 95 21, fax 0348 40 95 34;
www.nkbv.nl; geopend ma.-vr. 9-12.30 en 13-16 uur.
In België: *Vlaamse Bergsportfederatie, (VBF)*, Boomgaardstraat 22,
2600 Berchem, tel. 03 830 75 00, fax 03 830 36 24, www.vbsf.be; of
de *Belgische Alpenclub (BAC)*, Kazernestraat 38, 9100 Sint-Niklaas,
tel. 037 76 60 18; fax 037 77 51 24.
In Zwitserland: *Schweizerische Alpenclub (SAC)*, Montbijoustrasse 61,
CH-3000 Bern, tel. 0041 31 370 18 18, fax 0041 31 370 18 00,
www.sac-cas.ch.

Bissetochten De wandelingen langs bissen vormen een bijzonderheid voor Wallis. Bissen, in het Duits '*suonen*' genoemd, zijn irrigatiekanalen die de boeren aanlegden om water van bergbeken en gletsjer-
beken naar hun landerijen te brengen. Vaak hakten ze hiervoor goten
in de bergwand of leidden ze het water door aan de bergwand opge-
hangen halve boomstammen. In heel Wallis zijn er zo'n 200, in totaal
760 km, waarvan een groot aantal nog steeds functioneert. Ze dalen
zeer geleidelijk af en daarom zijn de 'onderhoudspaden' erlangs prima
wandelpaden. Als u op het hoogste punt begint, kunt u ver van het
autoverkeer rustig naar beneden wandelen en genieten van de
vergezichten. Wandeling 4 en 12 gaan voor een deel langs een bisse;
beide systemen worden nog gebruikt, dus is iets erin gooien of ze
afdammen absoluut uit den boze. Deels langs bissen, deels langs
indrukwekkende spoorbruggen gaat de *Höhenweg* van de Lötschberg-
Südrampe, die begint in Hohtenn ten noorden van Steg en doorloopt
naar Lalden in het oosten. Deze tocht kan in delen gewandeld worden
omdat hij langs diverse dorpen met treinstations voert.

Bungeejumping Waaghalzen kunnen een sprong wagen vanaf een
spoorbrug of vanuit een gondellift. Centra van deze sport zijn *Chippis*
(100, 190 en 300 m), *Niouc* (Val d'Anniviers) en *Ulrichen*. Reken gemiddeld 1 CHF (= € 0,66) per gesprongen meter (www.bungy.ch).

Dierentuin In *Les Marécottes* in het Vallée du Trient is een aardige
dierentuin gevestigd met onder andere gemzen, steenbokken, aren-
den, marmotten, lynxen en een zwarte beer.

Eten Waar u ook plaatsneemt aan een tafel in een restaurant in
Wallis, overal treft u typisch Walliser gerechten aan op de spijskaart.
Ze maken slechts een klein deel uit van het totale aanbod, want u
kunt evengoed Zwitsers, Frans of Italiaans eten, maar als u dan toch

aan tafel zit, is het aardig om de authentieke streekgerechten eens te proberen. Wallis is van oorsprong een gebied van bergbewoners en wijnbouwers, die houden van eenvoudig, eerlijk voedsel en een goed glas wijn. Wie 's middags gaat eten, treft vaak ook het voordeliger dagmenu, 's avonds wordt het à la carte. Op zondag en meestal ook op maandag zijn veel restaurants in Wallis gesloten.

Streekgerechten zijn er vele in Wallis. Kaas is een van de meest gebruikte ingrediënten in de Walliser keuken. Vermaarde kaasgerechten zijn fondue en raclette. *Kaasfondue* wordt meestal gemaakt van *emmentaler* en *greyerzer* en een droge witte wijn; niet typisch voor Wallis, maar wel heel Zwitsers. *Raclette* is een specialiteit van Wallis. Bij de raclettemaaltijd wordt een halve kaas met de open kant op een houtskoolvuurtje of grill gelegd en krijgen de eters beurtelings een portie zachte warme kaas met augurkjes, zure uitjes en in de schil gekookte aardappels. De kaas die zich het beste leent voor raclette is de *bagnes*, een vrij zachte bergkaas, gemaakt uit melk van de zwarte Eringer vechtkoeien.

Een echt groente-kaasgerecht uit Wallis is de *Cholera*, een mooi opgemaakte hartige taart met een vulsel van prei, aardappel, Walliser kaas en gegarneerd met appel. Zeer jonge kaas, vetarm en eiwitrijk, is de *ziger*. Oude kaas in uiterst dunne plakken gesneden vormt het voorgerecht *Hobelkäse*. Een *croûte* is een soort tosti overdekt met een dikke laag kaas/ei en gesopt in witte wijn. Walliser kaassoufflés dragen de naam *Chäs-Chiechjini*.

De beste verse melk is tijdens een bergwandeling bij een *Sennhütte* op de alpenweiden te proeven en heeft uiteraard een kruidig aroma. Visgerechten zijn het beste te proeven aan het Meer van Genève. Vissoorten die in het meer leven zijn *sandre* (snoekbaars), *perche* (baars), *brochet* (snoek), *truite saumonée* (rozerode zalmforel) of *corégone* (meerforel). Meestal worden ze gefrituurd in een beslag met witte wijn, maar ze worden ook in een gebonden vissoep met knoflookbrood opgediend. De gewone *Forelle* of *truite* (beekforel) prijkt in heel Wallis op het menu.

Typisch voor Wallis is de *Walliser Teller* of *assiette valaisanne*, meestal een voorgerecht, met het bijzondere en kostbare *Trockenfleisch*. Trockenfleisch of *viande séchée* is in rode wijn gemarineerd schapenvlees dat vervolgens langdurig is gedroogd. Flinterdunne plakjes ervan sieren de schotel, samen met gerookte ham, worst, walnoot en wat augurk en ui. Er hoort een stukje roggebrood bij met roomboter.

In Wallis wordt ook veel fruit geteeld: pruimen, nectarines, abrikozen, perziken, peren, appels, kersen en morellen zijn er volop, evenals walnoten en tamme kastanjes. Daarnaast verzamelt men op de berghellingen wilde bosbessen, rijsbessen, bosaardbeien en frambozen (alleen toegestaan voor vergunninghouders).

Nectarines bij Saillon (MM)

Feestdagen Officiële feestdagen zijn: Nieuwjaar, Goede Vrijdag,
paaszondag en -maandag, 1 mei (Dag van de Arbeid), Hemelvaart,
pinksterzondag en -maandag, 1 augustus (nationale feestdag) en
eerste en tweede kerstdag.
In het katholieke Wallis bovendien: Driekoningen (6 januari), St. Jozef
(19 maart), Sacramentsdag (2e do. na Pinksteren), Petrus en Paulus
(29 juni), Maria Hemelvaart (15 augustus), Allerheiligen (1 november),
Onbevlekte Ontvangenis (8 december).

Festivals Vooral in het zomerseizoen zijn er in Wallis enkele festivals
van klassieke en/of populaire muziek, die inmiddels internationaal
bekend zijn. In Ernen is de oude dorpskerk het centrum van een festival voor klassieke muziek dat *Musikdorf Ernen* genoemd wordt en
dat duurt van half juli tot half augustus. Verbier heeft van half juli
tot begin augustus zijn *Verbier Festival & Academie*, met concerten,
kamermuziek en opera's. In Saas Fee is in de eerste helft van augustus
het *Summer Festival* voor klassieke muziek. In de eerste week van juli
is daar het *International Alpine Music Festival* met folklore uit de Alpen
en uit andere culturen. Sion heeft zijn *Festival International de Musique* in augustus en september. Voornamelijk kamermuziek wordt ten
gehore gebracht tijdens het *Zermatt Festival* in Zermatt in september.
Een groot evenement voor rockmuziek in de open lucht tenslotte is
het *Open Air* van Gampel in augustus.

Fietsen en mountainbiken Sinds de komst van de mountainbike
is er veel veranderd op het gebied van de wielersport in de bergen.
Waren voorheen alleen de asfaltwegen geschikt voor deze sport,

zeker voor de racefietsen, nu zijn juist de keiige, hobbelige bergpaden
in trek. Steeds meer VVV's zetten tochten uit die speciaal geschikt zijn
voor mountainbikers en steeds vaker mag u in de zomer uw fiets meenemen in een kabelbaan. Inmiddels is de fietsroute voor toerfietsers
door het Rhônedal in Wallis geheel bewegwijzerd met donkerrode
bordjes met daarop een horizontaal wit fietsje. Deze fietsroute loopt
van St-Gingolph naar Oberwald en de Furkapass en sluit aan beide
zijden aan op de nationale fietsroute nummer 1, die van Andermatt via
de Furkapas en Wallis naar Genève leidt.

De drie fietsroutes in deze gids volgen de *Rhôneroute* van Villeneuve
tot Brig; ze zijn een groot deel van het jaar te fietsen met gewone
fietsen met een paar versnellingen en ze zijn zo gemakkelijk dat ook
kinderen er plezier aan zullen beleven.

Fietsen voor deze tochten zijn tussen mei en half oktober te huur bij
de treinstations van Montreux, Martigny, Oberwald en Brig. In 2007
kost een countrybike met 21 versnellingen CHF 31 per dag, CHF 38 bij
inleveren op een ander station. Informeer van tevoren of er fietsen
voorradig zijn. Er zijn vaak ook kinderfietsen, tandems, mountainbikes
en kinderzitjes te huur. Het handige van het huren van fietsen bij de
treinstations is dat u de fietsen op een ander station mag inleveren.
Zie www.rentabike.ch voor het reserveren van fietsen.

Voor meerdaagse fietstochten door het Rhônedal is het mogelijk de
bagage te laten vervoeren van hotel naar hotel.

Links en rechts van de betrekkelijk gemakkelijke fietsroutes door het
Rhônedal zijn hoger in het gebergte mountainbikeroutes uitgezet.
Deze zijn bewegwijzerd met donkerrode bordjes waarop diagonaal

De hele familie op de fiets bij Zinal (MM)

een klimmend fietsertje is afgebeeld. Op www.veloland.ch en www.
bike-explorer.ch vindt u veel informatie over fietsen en mountainbiken.
Vrijwel alle VVV's geven bovendien jaarlijks een folder uit met nieuwe
mountainbikeroutes. Wie zelf een route wil uitstippelen, kan hiervoor
gebruik maken van de 1:50.000 kaarten die bij de VVV's te koop zijn.
Denk eraan dat er regels gelden voor mountainbikers, onder andere
dat wandelaars altijd voorrang hebben en dat alleen het berijden van
bestaande wegen en paden of speciaal voor de mountainbike aangegeven wegen is toegestaan. Het is niet toegestaan buiten deze paden
te fietsen en evenmin mogen de weiden of de wandelpaden langs de
bissen bereden worden.

Gästekarte/Carte de séjour
Wie op een camping of in een hotel
verblijft, krijgt bij inschrijving meestal een *Gästekarte/Carte de séjour*
die korting geeft op allerlei activiteiten.

Geld en creditcards
De munteenheid van Zwitserland is de
Zwitserse franc (2007: CHF 1 = € 0,66; € 1 = CHF 1,53; dagkoers op
www.gwk.nl). De meest gebruikte creditcards in Zwitserland zijn die
van American Express, Eurocard/Mastercard, Diners en Visa.
Geldautomaten zijn er in alle steden en grote dorpen. De geldautomaten leveren ook eurobiljetten, die inmiddels in Zwitserland als tweede
wettig betaalmiddel gelden, althans in de grotere plaatsen en veel
hotels. Wisselgeld blijft voorlopig de Zwitserse franc en betalen met
euro's is meestal wat onvoordeliger dan met Zwitserse francs.

Golfterreinen
De echte toeristenplaatsen Crans-Montana, Leuk,
Sion en Verbier beschikken over een golfterrein met achttien holes.
Negen holes hebben de golfterreinen van Sierre, Zermatt, Oberge-
steln, Riederalp, en Granges. Door de hoge ligging op 1950 m is het
golfterrein van Riederalp pas vanaf juni bespeelbaar.

Grotten en kloven
Een beroemde grot ligt bij St-Maurice: de *Grotte-aux-Fées*. Als u daar uw hand in het water steekt, mag u in stilte
een wens doen. Bij St-Léonard in Midden-Wallis ligt in een grottenstel-
sel het grootste onderaardse meer van Europa, waar u met bootjes
een halfuur lang wordt rondgeleid. Indrukwekkende kloven, waar
u met plankieren langs de wanden door kunt lopen, zijn de *Gorges
du Trient* bij Vernayaz (800 m lang), de *Gorges de Durnand* in het
Val Champex (150 m lang en met 14 watervallen) en de veel bezochte
Gornerschlucht bij Zermatt.

Inlineskating
Wie naar de Alpen gaat, zal de rollerskates misschien
eerder thuislaten, maar er zijn ook wel skateparks in Wallis. Bijvoor-

beeld in Bellwald, Bürchen, Fiesch, Naters, Saas-Fee, Sion, Ulrichen, Visp en Zinal.

Kaarten en gidsen

Overzichtskaarten
- ANWB Wegenkaart Italië (Zwitserland): 1:800.000.
- ANWB Wegenkaart Zwitserland: 1:200.000.

Gedetailleerde streekkaarten voor automobilisten
- Michelin kaart 216 Neuchâtel-Basel-St.-Gallen 1:200.000.
- Michelin kaart 217 Genève-Bern-Andermatt 1:200.000.
- Michelin kaart 219 Aosta/Aoste-Zermatt-Milano 1:200.000.

Gidsen/kaarten
- ANWB Goud Reisgids Wallis, Berner Oberland, Jura, Vierwald-stättersee
- Officiële wegenkaart van de Zwitserse automobielclub TCS met plaatsnaamregister, plaatsaanduiding van onder andere campings, jeugdherbergen, motels, benzinestations en restaurants aan snelwegen.
- Clubhüttenverzeichnis SAC: 154 berghutten met afbeeldingen, openingstijden et cetera. Met kaart.
- Topografische kaarten, uitgaven van het Bundesamt für Landes-topographie, schaal 1:25.000, 1:50.000, 1:100.000.
- Zie voor meer informatie ook: www.inforoute.ch, www.acs.ch en www.swissinfo.org

Kastelen Wallis ligt uiterst strategisch, zeker in vroeger tijden, toen lopen eigenlijk de enige manier was om ergens te komen. Handelaars liepen, legers liepen en vaak liepen ze in elkaars kielzog. Het Rhônedal was een van de verbindende dalen tussen Italië, Zwitserland en Frankrijk; de Grote St.-Bernardpas en de Simplonpas waren de belangrijkste passen. Om vijandelijke legers snel te kunnen signaleren, bouwde men op de meest strategische punten kastelen. Meestal fungeerden deze ook als overslagplaats voor goederen of als marktplaats. Die kastelen vormen nu nog de markante punten in het landschap en zijn op veel plaatsen te bezichtigen.

Wie de brede Rhônedelta bij het Meer van Genève binnentrekt, is *Château de Chillon* al gepasseerd en wordt bij *St-Maurice*, precies waar het Rhônedal zich vernauwt, opgewacht door een stevig kasteel bij de brug over de Rhône. Waar de Rhône een knik van 90 graden maakt, ligt het kasteel *La Bâtiaz* van Martigny met zijn ronde toren. Wie vanaf deze vesting het Rhônedal inkijkt, zowel stroomopwaarts als stroomafwaarts, zal overtuigd raken van zijn strategische ligging. Stroomopwaarts zijn de ronde torens van de vesting van *Saillon* te zien. Met grote vuren maakte men elkaar attent op naderende kara-

vanen of vijandelijke legers. Deze vesting werd, net als de tot ruïne
vervallen vesting van *Saxon*, gebouwd op heuvels in het rivierdal, zodat ze bij overstromingen in het voorjaar en bij belegeringen een goed
toevluchtsoord vormde.

Bij Martigny voegt de weg van de Grote St.-Bernardpas zich bij het
Rhônedal. Op deze beroemde pas, die toegang geeft tot het Italiaanse
Aosta en misschien al gebruikt werd door Hannibal met zijn olifanten,
staat het *klooster met hospitium*, waar de reizigers vroeger gratis onderdak konden krijgen van de monniken. Dit klooster met hospitium
werd in de 11e eeuw gesticht door Bernard van Menthon, nadat hij de
Saracenen, die de pas al een eeuw in handen hadden, had verslagen
(zie ook de 'Col du Grand-St-Bernard' op pagina 15).

Weer terug in het Rhônedal komen vervolgens de burchten van *Sion*
in zicht, ieder op een eigen heuvel en met een eigen vesting (zie dagtocht 21, pagina 94) en een bezoek meer dan waard.

Na Sion volgt Sierre. Daar is van de middeleeuwse kastelen alleen de
Tour de Goubing over in het noordoosten van de stad. Alle andere oorspronkelijke vestingen werden successievelijk verwoest. De kastelen
uit later eeuwen werden gebouwd als chique woonverblijven, zoals
het *Château Mercier* met zijn mooie, vrij toegankelijke park.

Visp was vooral belangrijk als handelspost. Daar kwamen de handelskaravanen van en naar het Italiaanse Lombardije elkaar tegen die via
de Monte Moropas de grens overstaken.

En dan tot slot het grote indrukwekkende *Stockalperpalast* van Brig.
Dit kasteel met zijn drie vergulde uivormige torenspitsen ligt aan
de weg naar de Simplonpas. In de 17e eeuw bezat Kaspar Stockalper
(1609-1691) alle wegen en tolbruggen van de Simplonroute tussen

Italië en Frankrijk en het monopolie op zout en zijde. Hij handelde in edele metalen, wapens en wijn. De Dertigjarige Oorlog (1618-1648) verzekerde hem lange tijd van afzet en inkomsten. Met het geld dat hij vergaarde, liet hij kerken, herbergen, straten en bruggen bouwen. Voor zichzelf liet hij dit grote slot bouwen, dat tevens diende als opslagruimte en overslagplaats. Een van de torens is zo hoog dat alle activiteiten in de wijde omtrek nauwlettend in de gaten gehouden konden worden.

Klimmen Het klimmen kan op talloze plaatsen in Wallis beoefend worden. Voor beginners en geoefenden zijn er klimwanden. Klimscholen vindt u in Ausserberg, Arolla, Belalp, Bellwald, Bettmeralp, Champéry, La Fouly, Fiesch, Gondo, Leukerbad, Nendaz, Riederalp, Saas Fee, Saas Grund, Verbier, Visperterminen, Wiler, Zermatt en Zinal.

Kerken Belangrijke kerken zijn de *Abdijkerk* van St-Maurice (bijzondere kerkschat), de *Notre-Dame-de-Valère* te Sion (met nog bespeelbaar orgel uit de 14e eeuw) en het prachtige romaanse kerkje uit de 11e eeuw van *St-Pierre-de-Clages*. Bijzonder om zijn positie is de hooggelegen *Felsenkirche* in Raron.

Logies Bij het zoeken naar 'onderdak op maat' kan oriëntatie vooraf geen kwaad. Folders en gidsen kunt u bestellen via Zwitserland Toerisme en via internet (zie Adressen).
Ter plaatse kunt u onderdak vinden bij particulieren. Accommodatie wordt aangekondigd als *Zimmer frei, Ferienwohnung, Chambres* of *Chalet/ appartement à louer*.
Een *overnachting in het stro* is mogelijk bij Sion, en Orsières. Zie ook www.abenteuer-stroh.ch.

Matterhornmuseum in Zermatt (CE)

Campings zijn er volop in Wallis, ruim 50, waarvan er ongeveer 20 ook 's winters open zijn (gratis Wallis-campinggidsje bij Zwitserland Toerisme). Kamperen is meestal niet duur en 's zomers is er zelfs in het hoogseizoen altijd wel plaats. Vrij kamperen is niet toegestaan. Zie ook www.swisscamps.ch en ANWB Campinggids Europa deel 2.
Berghutten zijn in Zwitserland meer dan elders bedoeld als uitgangspunt van klimtochten, niet als etappedoel in lange-afstandswandelingen.
Natuurvriendenhuizen zijn er in Les Marécottes, Les Barmes (Val d'Anniviers), Les Collons (Val d'Hérens), Riederalp en Zermatt.
Jeugdherbergen in Sion, Zermatt en Fiesch (www.youthhostel.ch).

Mineralen zoeken

Wallis is hét gebied om mineralen te zoeken, alle soorten gesteenten zijn aanwezig, allerlei geologische gebeurtenissen hebben er plaatsgevonden. Belangrijke vindplaatsen zijn het Binntal, Fiesch in Goms en Blatten in het Lötschental. Toch is het niet gemakkelijk gave en grote mineralen te vinden, de meeste vindplaatsen zijn al uitgekamd door professionele mineralenzoekers. De beste kans hebt u op oude stortplaatsen van mijnen, in rivierbeddingen en in wegontsluitingen. Vanuit Binn en Imfeld in het Binntal worden mineralenzoektochten georganiseerd en hamers en beitels verhuurd.

Musea en bezienswaardigheden

Niet te missen kunstmusea zijn de *Fondation Pierre Gianadda* in Martigny en het *Musée des beaux-arts* in Sion. In de Fondation Pierre Gianada zijn schitterende oude auto's uit de periode van 1897 tot 1939 te zien. Verder is er een Gallo-Romeinse afdeling en een beeldentuin met archeologische vondsten en moderne beelden.
Typische Walliser musea zijn ondergebracht in prachtige donkere houten Walliser huizen, zoals het *Saaser Museum* in Saas Fee. Dat toont het leven van de Saastalers en bezit een geologische collectie met stenen en mineralen uit de streek.
In Zermatt toont het *Matterhorn Museum* onder meer de kleding van Whymper en zijn mannen, die als eersten de Matterhorn beklommen, evenals het touw dat na de beklimming afbrak en vier van hen in de diepte deed verdwijnen (zie pagina 51). In Kippel in het Lötschental wordt de bezoeker van het *Lötschentaler Museum* ingewijd in de geschiedenis van dit dal, dat lang van de buitenwereld was afgesloten. In Vilette/Le Châble in het Val de Bagnes toont het streekmuseum de leefwijze van de dalbewoners. Het is tevens beginpunt van een 30 km lange cultuurhistorische wandeling door het dal.
In onder andere Riederalp, Nendaz, Täsch en Veysonnaz kunt u zien hoe kaas gemaakt wordt. Het Binntal is beroemd om zijn mineralen. Een echt dagelijks geopend museum met mineralen is er niet, maar

Parapente, de eerste sprong (MM)

wel hebben twee beroemde mineralenzoekers hun mineralencollecties voor publiek opengesteld, één in Binn, één in Imfeld. Behalve mineralen kijken, kunt u daar ook mineralen kopen of een mineralenzoektocht boeken. Een blik in het duister van de grotten krijgt u in het *Musée suisse de Spéléologie* van Chamoson.

In het *Musée de l'Hospice du Grand-St-Bernard* op de Grote St.-Bernardpas wordt de geschiedenis van de pas uit de doeken gedaan. In Martigny is het *Musée et Chiens du St-Bernard*, een interessant museum over de Grote St.-Bernardpas en de bekende sint-bernardshonden, waarvan er enkele in grote hokken achter glas of tralies te zien zijn. Kamperend in de bergen kunt u zich vaak vergapen aan de prachtige sterrenhemel, waaraan de sterrenbeelden zich in alle helderheid voor u uitspreiden. Om een gevoel te krijgen van de weidsheid van het heelal is in St-Luc in het Val d'Anniviers een *Planetenweg* aangelegd: over een afstand van zes kilometer zijn de planeten op de onderling juiste afstand van elkaar aangebracht en wordt er informatie over gegeven. Boven het dorp staat het *Observatorium* waar u vanuit uw luie stoel zon en sterrenbeelden voorgeschoteld krijgt.

Van een heel andere orde, maar net zo intrigerend, zijn de dinosauriërsporen die bij de aanleg van het stuwmeer van Émosson te voorschijn zijn gekomen (zie pagina 14). Aan het einde van de zomer, als de sneeuw is gesmolten, zijn ze te bezichtigen. In het natuurhistorisch museum van Sion is een aantal van deze pootafdrukken tentoongesteld.

Geïnteresseerden in grootse bouwwerken kunnen terecht bij de stuwdam van de *Grande Dixence* in het Val d'Hérémence, de hoogste stuwdam van Europa: 285 m hoog! In de tentoonstellingsruimte wordt alles verteld over de aanleg van de dam en de hoeveelheid opgewekte energie; om 11.30, 13.30, 15 en 16 uur is er een rondleiding door het gangenstelsel van de indrukwekkend grote damwand.

Voor techneuten is het *Satellitenbodenstation* bij Leuk een aanrader. Daar wordt uit de doeken gedaan hoe men boodschappen met satellieten verzendt en ontvangt.

Schaalmodellen van stoomtreinen, die zo groot zijn dat mensen erop mee mogen rijden, zijn in werking te zien in het *Swiss Vapeur Parc* in Le Bouveret bij het Meer van Genève. Een echte stoomtrein rijdt 's zomers elke dag 1 à 2 maal over de Furkapas (Realp – Gletsch).

In Sierre ten slotte bevat het *Château de Villa* behalve stijlkamers ook een wijnproeverij.

Openingstijden

In Wallis zijn de *banken* open van ma.-vr. van 8.30-16.30 uur, in landelijke streken gesloten van 12-13.30 uur. Postkantoren zijn open van ma.-vr. van 7.30-18.30 uur. Op zaterdag zijn de hoofd-postkantoren tot 16 uur open.

Winkels zijn doorgaans open van 8-12 en van 13.30-18.30 uur. Van plaats tot plaats kunnen deze tijden variëren, in de grote steden zijn veel winkels ook tussen de middag open. Veel winkels sluiten op maandagochtend. 's Zaterdags zijn ze tot 16 of 17 uur open. In vakantiecentra zijn de winkels doorgaans langer open dan elders.

Musea zijn meestal open van di.-zo., soms sluiten ze van 12-14 uur (zie de brochure *Wallis im Sommer* voor tarieven en openingstijden).

Paardrijden

Vooral in de bergen is paardrijden een leuke bezigheid, misschien ook wel omdat dan zo goed tot u doordringt hoe men vroeger reisde. Handelskaravanen en herders maakten gebruik van paarden en muildieren, legers van voetvolk en cavallerie. Met paarden en lastdieren konden ze over smalle bergpaden en door nauwe bergpassen. Een stuk van zo'n historische pasroute kunt u nu afleggen in het Binntal, waar u in Ernen muildieren met gids kunt huren en naar de Albrunpas kunt rijden (zie www.bergland.ch). In Zinal staan ze met paarden klaar om naar onder andere de hut *Petite Mountet* te rijden, waar u kunt overnachten. Paardrijden kunt u in Anzère, Ardon, Baltschieder, Bürchen, Champéry, Ernen, Fionnay, La Fouly, Grächen, Grimentz, Leuk, Leukerbad, Martigny, Montana, Monthey, Morgins, Nax, Raron, Saas Grund, Sierre, Sion, Susten, Val d'Illiez, Verbier, Vercorin, Vernamiège en Zermatt.

Parapente en deltavliegen

Icarus zou jaloers zijn geweest op de mensen die nu, schijnbaar moeiteloos hangend aan hun parapente of deltavlieger, door het luchtruim zweven.

Vooral de *parapentesport* (*Gleitschirm* in het Duits) wordt steeds meer beoefend. Op mooie dagen zijn sommige dalen gevuld met kleurige

schermen en laten de beoefenaars zich als grote roofvogels op de thermiek omhoog stuwen.

In de volgende plaatsen is een parapenteschool gevestigd, daar zijn ook schermen te huur en goede vertrekpunten bereikbaar: Anzère, Le Bouveret, Le Chable, Champéry, Evolène, Fiesch, Leukerbad, Les Marécottes, Monthey, Montana, Morgins, Nendaz, Ovronnaz, Thyon-Les Collons, Torgon, Val d'Illiez, Verbier, Vercorin, Zermatt en Zinal. Meestal zijn in deze plaatsen ook duovluchten mogelijk, waarbij de onervaren vlieger samen met een ervaren parapenter het luchtruim kiest (circa CHF 120-150).

Deltavliegen lijkt het in populariteit af te moeten leggen tegen parapente. Scholen voor deze sport, met verhuurfaciliteiten, zijn gevestigd in de volgende plaatsen: Le Bouveret, Champéry, Les Marécottes, Verbier, Vercorin en Zinal.

Ballonvaarten kunt u ondernemen vanaf Crans-Montana, La Fouly, Sierre en Verbier (circa CHF 400 p.p.).

Reisdocumenten Nederlanders moeten in het bezit zijn van een geldig paspoort of een geldige Europese identiteitskaart. Meereizende eigen kinderen tot 16 jaar mogen hierin zijn opgenomen.

Belgen moeten in het bezit zijn van een geldig paspoort of een Europese identiteitskaart. Voor kinderen jonger dan 12 jaar geldt, indien ze met hun ouders reizen, de kleine witte kaart zonder foto.

Taal In het gebied van deze gids worden twee talen gesproken, Duits en Frans. De taalgrens loopt dwars door Wallis: ten westen van Leuk spreekt men Frans, ten oosten van Leuk Zwitserduits. In de grote steden spreken de meeste mensen ook Engels. Een nadeel van meer talen in één land is de verwarring die kan optreden bij de plaatsnamen: de Duitse benaming voor Rhône is Rotten, Sion is Sitten, enzovoort.

Telefoneren
Zwitserland is automatisch bereikbaar per telefoon. Kies in Nederland en België eerst het internationale toegangsnummer 00, dan het landnummer 41 voor Zwitserland en dan het netnummer zonder de nul en het abonneenummer. Van Zwitserland naar Nederland: eerst 0031, naar België eerst 0032 dan het netnummer zonder de nul en het abonneenummer. Tussen 21 en 8 uur en op zaterdag en zondag is telefoneren goedkoper.

Een goed netwerk staat ervoor garant dat u in Zwitserland ook met een mobiele telefoon overal kunt bellen. In de auto is alleen handsfree bellen toegestaan.

Vervoer in Wallis
Iedere vakantiebestemming is bereikbaar met het openbaar vervoer, hetzij trein, boot of postauto (bus).

In Wallis lopen er treinen van het Meer van Genève tot Oberwald in Goms, aansluiting naar Realp en Andermatt; van Bern via Goppenstein naar Brig (Lötschbergbahn); van Brig via de Simplontunnel naar Italië; van Brig naar Zermatt; van Monthey naar Champéry, van Martigny naar Le Châtelard; van Martigny naar Orsières. Een traject van de beroemde Glacier Express gaat deels door Wallis: Zermatt – Brig – Andermatt – Chur – Davos/St. Moritz.

Voordelig met trein en boot

Wie in Zwitserland veel gebruik denkt te gaan maken van trein, bus en boot, kan het best contact opnemen met *Zwitserland Toerisme* over reductiemogelijkheden. In Nederland of België zijn te koop de *Swiss Card* (1 maand 50% reductie op openbaar vervoer en bergbanen), de *Swiss Pass* (4, 8, 15, 22 dagen of 1 maand onbeperkt gebruik van openbaar vervoer en reductie op veel kabelbanen) en de *Swiss Flexi Pass* (binnen 1 maand 3, 4, 5, 6, of 8 dagen onbeperkt reizen met openbaar vervoer). De Swiss Card, de Swiss Pass en de Flexi Pass zijn ook op grotere stations in Zwitserland te koop. Ter plaatse zijn verkrijgbaar de *Familienkarte* (eigen kinderen tot 16 jaar reizen gratis mee) en de *Half Fare Card* (50% reductie op openbaar vervoer). De maatschappij Matterhorn Gotthard Bahn heeft de *Erlebniscard* (2, 3, of 5 vrij te kiezen dagen overal tussen Zermatt en Disentis onbeperkt reizen). Zie voor tarieven www.mgbahn.ch. Voor een aantal bergbanen en panoramatreinen moet bijbetaald worden. Toch is de Erlebniscard lucratief als u enkele toppers wilt bezoeken, zoals de Eggishorn bij Fiesch, de Gornergrat bij Zermatt en de kabelbanen van Saas Fee.

Informatie over de kaarten en tarieven: 00800 - 100 200 30 (gratis), NS (zie treinverbindingen) en www.swisstravelsystem.com

Busvervoer

Interlokale busdiensten in Zwitserland worden verzorgd door de gele postauto's, vooral op trajecten buiten het directe bereik van de trein. Interessant zijn de *postautokaarten* voor de volgende gebieden in deze gids: Oberwallis, Sierre en Sion (per week 3 dagen naar keuze vrij reizen). Ze zijn te koop bij de postautochauffeur of bij de kantoren van de postautodienst in de betrokken streek. Men moet ervan uitgaan dat er overdag tussen 7 en 19 uur op de meeste gangbare trajecten vrijwel elk uur een bus rijdt, op de kleine lijnen meestal slechts twee per dag in beide richtingen. 's Avonds gaan er veel minder bussen. Informatie over de uitgebreide busdiensten: www.postauto.ch

Tandrad- en kabelbanen

Tot het openbaar vervoer worden ook gerekend de *tandradtreinen, gondels, cabines en stoeltjes* die aan kabels worden voortbewogen. De meeste ervan zijn ook 's zomers in werking. Bij slecht weer kan een dienst gestaakt worden vanwege onverantwoord risico.

Vervoer naar Wallis

Vervoer per vliegtuig

Dagelijkse vluchten van KLM en Swiss van Amsterdam naar Genève en Zürich, www.swiss.com, tel. 0900 202 02 32 en www.klm.nl, tel. 020 474 77 47.
Vanuit België zijn er dagelijkse vluchten van Brussel naar Zürich en Genève. Brussel Airlines: www.flysn.be; tel. 070 - 35 11 11. De treinreis van Genève vliegveld naar Sion duurt 2 uur.

Treinverbindingen met Nederland

Eenmaal daags vertrekt er een dagtrein naar Zwitserland (*EuroCity*), eenmaal per nacht de *CityNightLine*. Informatie: NS-internationaal, tel. 0900 - 9296 (€ 0,35 per minuut); www.ns.nl en in Zwitserland www.sbb.ch.

Treinverbindingen met België

Dagelijks rijden twee nachttreinen en twee *EuroCity's* van Brussel (soms Oostende) over Luxemburg direct naar het hart van Zwitserland, alsook een *Thalys*, tel. 02 - 528 2828, www.nmbs.be.

Bussen

Zowel in het zomer- als in het winterseizoen vertrekken dagelijks vanuit Nederland pendelbussen naar diverse bestemmingen in Zwitserland, onder meer van *Eurolines* (www.eurolines.nl).

Wandelen In Wallis is meer dan 5000 km aan bewegwijzerde wandelpaden uitgezet. Er zijn zo veel wandelpaden in alle richtingen en alle categorieën dat het soms moeilijk is een goede keuze te maken. In deze gids zijn daarom 17 voorstellen voor wandelingen gedaan die vallen in de lichte en middelzware categorie. Geen enkele tocht gaat

over gletsjers. Wie de smaak van het wandelen te pakken krijgt, kan bij de verkeersbureaus of kabelstations ter plaatse doorgaans een gratis overzicht met wandelroutes krijgen. Hierop is een groot aantal tochten aangegeven met tijdsduur en hoogteverschillen.

Van Martigny naar Leuk loopt een lange *wijnroute*, die onderweg wijn-proeverijen en wijnbouwmusea aandoet.

Door Wallis zijn ook historische wandelroutes bewegwijzerd, zoals bijvoorbeeld Romeinse wegen. Een ervan loopt van de Grote St.-Ber-nardpas naar het Meer van Genève, wandeling 6 beschrijft het eerste deel ervan. De grote *Walserweg* loopt van Saas Grund met een omweg naar de Simplon en verder. Oude handelsroutes en muildierpaden lo-pen van de Simplon door het Rhônedal naar het Meer van Genève.

Wie weleens een gletsjer wil oversteken, kan mee met een gletsjer-tocht onder leiding van een gids. Ze worden onder andere georga-niseerd vanuit Fiesch, Bettmeralp en Riederalp (waarbij u de Grote Aletschgletsjer oversteekt), in Saas Fee (waarbij u maar liefst vier glet-sjers kunt oversteken) en in Zermatt.

Bij vrijwel elke VVV is wel een kaart met wandelideeën in de directe omgeving te krijgen, meestal gratis. Zie voor de bewegwijzering pagi-na 52. Let erop dat de wit-rood-witte bewegwijzering meer eisen stelt aan conditie en uitrusting dan de gele. Draag bergschoenen met pro-fielzolen en neem altijd regenkleding en een trui mee, al is het maar een kort tochtje, want de bergen blijven een onbetrouwbare partner en het weer kan binnen een kwartier omslaan. Dat geldt helemaal voor een wandeling die begint bij het eindstation van een kabelbaan hoog in het gebergte, zoals de dagtochten 16, 17 en 19; vaak hebt u bij het uitstappen al een trui nodig!

Wandelen langs bergdorpjes (MM)

Van heel Wallis zijn diverse wandelgidsjes uitgegeven bij Rother en Kümmerley & Frey. Ze zijn, net als de goede wandelkaarten 1:25.000, te koop in Nederland bij de gespecialiseerde boekhandel en in Zwitserland bij de boekhandel en VVV's, evenals via internet (www.rother.de en www.swissmaps.ch). Tip: bij de stations van de postauto zijn folders verkrijgbaar met ideeën voor een- en meerdaagse wandelingen in combinatie met de postauto.

Watersport   Wallis is geen echt watersportgebied. Alleen aan het Meer van Genève wordt volop gezwommen, gezeild, gesurfd en gekanood. Wie één teen in een van de vele verleidelijke bergmeren van Wallis steekt, merkt direct dat het water veel te koud is om te zwemmen, en de stuwmeren zijn ook niet uitgerust voor waterrecreatie. Een aanrader voor watersporters is het *riverraften* (*Schlauchboot* in het Duits) op de 'jonge' Rhône in Obergoms tussen Oberwald en Gluringen, op de Dranse in Val Ferret, op de Dranses bij Les Marécottes, bij Martigny op de Rhône, bij Verbier op de Sarine, op de Navisence in het Val d'Annivier, en op de Rhône vanuit Le Bouveret, Fiesch, Sion en Sierre. Voor de tochten wordt de benodigde uitrusting bijgeleverd; in 2007 kostte een tocht van een halve dag circa CHF 40-100.
Canyoning is dan misschien geen echte watersport, meestal vormt een woeste bergbeek wel het decor van deze spannende sport, waarbij wordt afgedaald in kloven en bergbeken. Aan deze sport kunt u deelnemen vanuit Belalp, Champéry, Crans-Montana, Fiesch, Savièse en Verbier. De prijs voor een dag varieert van CHF 90 tot 180 (2007).
Zwemmen in een strandbad kan behalve langs het Meer van Genève ook in Champex-Lac, Sion, Sierre en Veysonnaz.
Openluchtzwembaden zijn er in Anzère, Bettmeralp, Le Bouveret, Brig,

Waarschuwingsbord voor gestuwd water (MM)

Le Châble, Champéry, Champex-Lac, Crans-Montana, Haute-Nendaz, Leukerbad, Les Marécottes, Martigny, Mörel, Monthey, Morgins, Ovronnaz, Reckingen, Saillon, Sierre, Sion, Torgon, Ulrichen, Val-d'Illiez, Verbier en Visp. Op Champex-Lac, Martigny, Morgins, Sion, Torgon en Visp na hebben deze plaatsen ook een *overdekt zwembad*. Ook in Bellwald, Le Bouveret, Les Collons, Fiesch, Grächen, Grimentz, Mayens-de-Riddes, Saas Fee, Saas Grund, Steg, Unterbäch, Veysonnaz, Wiler (Lötschental), Zermatt en Zinal kunt u overdekt zwemmen. In Granges vormt een openluchtzwembad onderdeel van *Happyland*, een attractiepark voor kinderen.

Behaaglijk zwemmen in warm bronwater is het in een van de *thermaalbaden* van Breiten, Brigerbad, Champéry, Leukerbad, Mayens-de-Riddes, Ovronnaz, Saillon en Sion.

Wegverkeer

Autobahnvignet

Komt u via de autosnelweg (*Nationalstrasse*: groen bord, wit opschrift), dan moet het Autobahnvignet zichtbaar aan de linkerbinnenzijde van uw voorruit zijn geplakt; bij motorrijders op een duidelijk zichtbare plaats (N.B. u kunt de grenspost Basel-Weil niet zonder vignet passeren). Vrijwel nergens wordt tol geheven (alleen op enkele kleine particuliere trajecten en in de St.-Bernardtunnel). Het vignet is een jaar geldig, met inbegrip van december eraan voorafgaand en januari erna. De prijs is ca € 28 (2007). Het vignet is in Nederland en België te koop bij de ANWB, de automobielclubs en grenswisselkantoren, en ook aan de Zwitserse grens. Auto's met aanhangwagen of caravan moeten twee vignetten voeren, één extra op de buitenzijde van de sleep. Het vervoer van fietsen op het dak van de auto is toegestaan. Op een fietsenrek geplaatst op de trekhaak van een auto eveneens, zolang de fietsen maar niet uitsteken en kenteken, richtingaanwijzer en verlichting normaal zichtbaar blijven.

Autotunnels

Autovervoer per trein vindt plaats door de Lötschberg- en de Furkatunnel, beide 15 minuten rijtijd. De Lötschenbergbahn rijdt elk halfuur, van 6 tot 24 uur, de Furkabahn elk uur tussen 6 en 21 uur. De treinen rijden regelmatig en zijn relatief goedkoop, CHF 25-30.

Brandstof

LPG is maar zeer beperkt in Zwitserland verkrijgbaar; raadpleeg daarvoor de LPG-gids van de ANWB. Elk station levert euroloodvrij ('Bleifrei 95' of 'Sans plomb 95'), diesel en loodvrije superbenzine ('Super Plus 98' of 'Super sans plomb 98').

Hulp bij pech en ongeval

Nederlandse automobilisten die in het bezit zijn van de Wegenwacht Europa Service kunnen rekenen op gratis hulp van de Zwitserse wegenwacht, tel. 140, of via de SOS-praatpalen langs de weg. Alarmnummers: politie 117, brandweer 118, ambulance 114. U kunt ook de Alarmcentrale bellen te Den Haag: 070 314 14 14.

Parkeren

In een dorps- of stadskern kan parkeren lastig zijn. Bij veel banken, benzinepompen en VVV-kantoren is gratis een parkeerschijf verkrijgbaar, waarmee u op meer parkeerplaatsen terecht kunt dan zonder.

Wijn De wijnen uit Wallis hebben geen wereldnaam, want ze worden niet of nauwelijks geëxporteerd en kunnen niet lang bewaard worden. Ze zijn echter uitstekend, vooral de witte wijnen, en men moet de kans waarnemen om ze in Wallis zelf te proeven. De belangrijkste druivensoorten die worden geteeld zijn de *chasselasdruif* voor de witte, en de *pinot noir* (ook *Blauburgunder*) en de *gamay* voor de rode wijnen. In mindere mate wordt de *riesling/sylvaner* verbouwd.

De Walliser wijnen komen uit het Rhônedal en de zijdalen, die door de föhn geschikt zijn voor de druiventeelt. De bekendste witte wijnen uit Wallis zijn de *fendant* (chasselas) en de *Johannisberg* (riesling/sylvaner). Minder bekend zijn de *arvine* en de witte dessertwijnen *ermitage*, *amigne*, *malvoisie* en *humagne*. De belangrijkste rode wijn is de *dôle*, gevolgd door de *goron* (beide gemaakt uit pinot noir en gamay). De *dôle*, een goed betaalbare wijn, die meestal als huiswijn geschonken wordt in de restaurants, onderscheidt zich van de *goron*, doordat het druivensap een vastgesteld suikergehalte moet bezitten. Als dat niet wordt gehaald, mag de wijn alleen als *goron* door het leven gaan.

Winkelen Een winkelparadijs is Wallis niet, maar toch is er genoeg moois te zien en te kopen. De steden in het Rhônedal hebben alle hun eigen winkelstraten. In Martigny liggen die om de zuidelijk aandoende *Place Central* met zijn platanen en terrassen. In Brig liggen de meeste winkels tussen het station en het Stockalperpalast. De mooiste winkelstraat, de *Bahnhofstrasse*, loopt van het station naar de Sebastiansplatz in het centrum van het oude Brig. Daaromheen vindt u kleinere straatjes met winkeltjes en terrassen.

Sion is de grootste winkelstad van Wallis (zie ook de plattegrond van Sion bij wandeling 21). Daar liggen in het centrum rondom de *Rue de Conthey*, *Rue de Lausanne* en de *Place de la Planta* tal van winkels, terwijl ook in de zijstraten verrassende winkeltjes opduiken.

In St-Maurice is de intieme *Grand Rue*, evenwijdig aan de doorgaande weg, het aantrekkelijkst, in Sierre de grote *Avenue Général-Guisan* en in Visp de *Bahnhofstrasse* en de *Kaufplatz*.

In de zijdalen hebben alle toeristenplaatsen wel een winkelstraat. Daar staan naast de gewone winkels als bakkers en supermarkten de chic uitziende sportzaken en meestal ook de mineralenwinkels.

Tegenover het station van Zermatt ligt een winkelcentrum en is de hoofdstraat misschien wel het enige, echte koopparadijs van Wallis: de Rolexhorloges strijden om aandacht met de juwelen en andere extravagante artikelen. Ook in Crans en Montana zijn zeer chique winkels te vinden waar men met Ferrari's en Alfa Romeo's komt voorrijden. Op de Grote St.-Bernard ten slotte zijn pluchen sint-bernardshonden te koop, van piepkleine tot levensgrote.

IJsgrotten In Wallis kunt u op enkele plaatsen een kijkje nemen in de binnenkant van een gletsjer, een koude maar spannende en interessante belevenis. De oudste *ijsgrot* bevindt zich in de Rhônegletsjer net voor de Furkapas bij hotel *Belvédère*. Via een souvenirwinkel komt u bij het pad naar de ijsgrot en dan loopt u door een korte, in het gletsjerijs uitgehakte tunnel naar een kleine, ijskoude 'kamer' waar als ijsbeer verklede mannen een foto van u maken (aankoop niet verplicht). De tweede ijsgrot van Wallis is het Eispavillon in de Feegletsjer van Saas Fee, groter maar met meer moeite en kosten – via de Alpin Express naar de Mittelallalin – te bereiken (zie pag. 34). Tien meter onder het oppervlak van de gletsjer is daar een tentoonstellingsruimte ingericht waar u alles te weten kunt komen over gletsjers. Sinds kort is er bovendien een trouwkapel uitgehakt. Ook Zermatt heeft zijn ijsgrot, het Gletscher-Palast, te bereiken met de Matterhornbahn.

Zomerski Zomerskiën kan in Wallis vooral in Saas Fee (20 km) en Zermatt (20 km). In deze plaatsen wordt ook skiuitrusting verhuurd. Er wordt veel reclame voor gemaakt. In de zomer kan echter alleen in de ochtenduren geskied worden, omdat de kwaliteit van de sneeuw in de loop van de dag sterk vermindert.

In het centrum van Sion (MM)

REGISTER

aardpiramiden 102
Abenteuerwald 34
Achru 81
adressen 115
Aigle 98
Airolo 112
Albinen 106
Aletschwald 20, 91
alpenplanten 115
Alpin Express 34
Aminona 16
Anunbachbrücke 83
ANWB-service 115
Anzère 9
Arolla 9, 70, 103
Arve 97
attractieparken 116
Ausserberg 39
Autobahnvignet 133
autotunnels 133
Ayent 9
Ayer 19, 74, 104

Bassays 58
Basse-Nendaz 45
Belalp 29
bergsportverenigingen 117
Bettmeralp 6, 20, 91
Bettmersee 91
bewegwijzering 53
Bex 98
Binn 10, 92
Binntal 10, 92
Birgisch 89
bissetochten 117
Blatten 29, 110
Blausee 91
Blüomatt 78
Bois de Finges 31
Bourg-St-Bernard 64
Bourg-St-Pierre 11, 64, 101

brandstof 133
Brig 6, 11, 72, 88, 110
Brigerbad 12, 72
bungeejumping 117
Bürchen 40, 80
busvervoer 130

Carte de séjour 121
Châble 21
Chalais 67, 105
Chamonix 97
Chamoson 13
Champéry 13, 98
Champex 100
Champex-Lac 31, 63
Champoussin 45
Chandolin 16, 50
Châtelard-Frontière 97
Chippis 67
Cime de l'Est 59
Col de la Forclaz 6, 14, 60
Col du Grand-St-Bernard 6, 15, 64, 101
Col du Sanetsch 16
Collonges 57
Combe des Morts 64
Crans-Montana 16, 105
creditcards 121

Dalaschlucht 77
deltavliegen 127
Derborence 17, 68
dierentuin 117
Dom 87
Dorénaz 57
Dranse 57, 64, 100

Egga 111
Eggerberg 39
Eischoll 40
Ernen 10
eten 117

Euseigne 102
Évionnaz 56
Evolène 17, 103

Fafleralp 24, 82, 107
Fäld 93
feestdagen 119
Felskinn 34
Ferden 24
Ferret 31, 62
festivals 119
Fiesch 18
fietsen 119
Finhaut 97
Fionnay 21
Forclazgletsjer 97
Freichi 93
Furkapas 6, 19, 113

Gampel-Steg 72, 107
Gästekarte 121
geld 121
Gemmipas 23
Gillou 75
Glacier de Corbassière 21
Glacier du Trient 14
Gletsch 19
golfterreinen 121
Gondo 39, 111
Gondoschlucht 111
Gorges du Durnand, 100
Gorges du Triège 22
Gornergrat 52, 84
Grächen 27, 108
Grand-St-Bernard 64
Granges 67
Grimentz 19, 74, 105
Grône 103
Grote Aletschgletsjer 19, 90, 110
grotten en kloven 121
Grottes aux fées 59

Gruben 42, 78
Grundsee 83
Gstein-Gabi 111
Guggisee 83
Gulantschi 77

Halsensee 93
Hannigalp 87
Hasel 81
Haute-Nendaz 45
Hohtenn 39
Holustei 79
Hospental 113
hulp bij pech en ongeval 133

Ibri 81
ijsgrotten 135
Imfeld 10, 93
Inden 106
inlineskating 121
Isérables 33, 66
Issert 31, 63

kaarten en gidsen 122
kastelen 122
kerken 124
Kippel 24, 107
klimmen 124

Labyrinthe Aventure 57
Lac Bleu de Louché 70
Lac de Moiry 19
Lac de Salanfe 36
Lac des Toules 64
La Fouly 31, 62
La Gouille 70
Lannaz 18
La Pierre 64
La Propija 77
La Seilox 62
La Tzoumaz 33, 46

Le Bouveret 6, 21, 55
Le Châble 21, 101
Le Flon 27
Le Prilett 75
Les Cases 56
Les Collons 48
Les Crosets 45
Les Diablerets 17, 68
Les Grangettes 55, 56
Les Marécottes 6, 21, 97
Les Cases 58
Le Trétien 97
Leuk 22, 72, 77, 106
Leukerbad 22, 106
Leytron 66
Liapey 69
Liddes 23
logies 124
Lonza 82
Lötschental 6, 24, 82, 107

Mannenmittwoch 49
Martigny 6, 25, 57, 60, 66, 96, 100
Massongex 56
Matterhorn 16, 51, 108
Mattertal 27
Mauracker 81
Maurice 56
Mauvoisin 21
Mayens de Riddes 33
Meer van Genève 21, 54, 56, 98
Meiden 42
Miège 76
Miex 27
mineralen zoeken 125
Mineraliengrube 93
Mischabelmassief 34
Mission 74
Mittelallalin 34
Mont Blanc 16, 97

Mont Blanc Express 22, 96
Mont Dolent 62
Monthey 28, 56, 98
Montreux 56
Mörel 20
Morge 16
Morgins 28, 98
mountainbiken 119
Mund 89
Mundchi 89
Münster 28
musea en bezienswaardigheden 125

Nässjere 81
Naters 12, 28, 72, 89
Navisence 19, 74
Nax 103
Niedergesteln 40
Nioux 104

Oberems 42
Obergesteln 29
Obergoms 30
Oberwald 30, 113
openingstijden 127
Orsières 31, 101
Ovronnaz 13

paardrijden 127
parapente 127
parkeren 134
Pas de Cheville 69
Petit Bonvin 16
Pfynwald 31, 72
Planachaux 13
Pont de Mission 74
Pont du Rhône 67
Portes du Soleil 98
Prayon 62
Praz-de-Fort 31, 62

Randa 27, 108
Raron 40, 72
Realp 113
reisdocumenten 128
Rhônedal 56
Rhônegletsjer 19
Riddes 33, 66
Riederalp 20
Riederfurka 20, 91
Riffelalp 85
Riffelberg 85
Riffelsee 84

Saas Almagell 33
Saas Balen 34
Saas Fee 6, 33, 86, 109
Saas Grund 34, 109
Saastal 34, 109
Saillon 35, 66
Salgesch 37
Salvan 36, 97
Satellitenbodenstation 22, 107
Savièse 16
Savoleyres 46
Savoye 26
Saxon 36
Sembrancher 101
Siders 36
Sierre 36, 67, 72, 104
Simplon Dorf 39, 111
Simplonpasroute 38
sint-bernardshonden 15, 26
Sion 6, 39, 66, 94, 102
Sitten 39
Siviez 45
Som La Proz 31
Sonnige Halden 39
St-Gingolph 40, 54, 98
St-Jean 105
St-Léonard 41, 67

St-Luc 19, 50, 75
St-Martin 103
St-Maurice 6, 41, 58
St-Pierre-de-Clages 42, 66
St. Gotthardpas 113
St. Niklaus 27, 108
Stockalperpalast 12, 73
Stockhorn 84
Super-Nendaz 45
Susten 22, 72, 107
Swiss Vapeur Parc 55

taal 128
Tanay 27
tandradtreinen 130
Täsch 27, 108
telefoneren 129
Thyon 2000 48
Torgon 28
Torrent-des-Moulins 75
Tour des Dents-du-Midi 14, 36
trein 129
Trient 14, 60, 61, 96
Troistorrents 45, 98
Turtmann 42, 107
Turtmanntal 42, 78

Ulrichen 43, 112
Unterbäch 40
Unterems 42

Val Champex 26
Val d'Anniviers 19, 104
Val d'Arolla 70
Val d'Hérémence 43
Val d'Hérens 6, 18, 70, 102
Val d'Illiez 44, 45, 98
Val de Bagnes 21
Val de Nendaz 45
Val des Morgins 98

Val de Zinal 46
Val Ferret 31, 62
Vallée de Bagnes 21
Val d'Anniviers 49, 74
Val d'Hérens 17
Verbier 46, 101
Vercorin 48, 105
Vernayaz 48, 96
Vérossaz 59
vervoer in Wallis 129
vervoer naar Wallis 130
Vex 102
Veysonnaz 48
Vichères 23
Villeneuve 55, 56
Vionnaz 27, 98
Visp 48, 72, 108
Vissoie 49, 74, 104
vliegtuig 130
Vouvry 98

wandelen 130
watersport 132
wegverkeer 133
Whymper 51
wijn 134
Wiler 25
winkelen 134

Zeneggen 40
Zenhäusern 80
Zermatt 6, 51, 84, 108
Zinal 46
zomerski 135
Zum Oberhüs 81